KOERS 300
VAART 25

KOERS 300 VAART 25

De Slag in de Javazee

Johan P. Nater

De Boer Maritiem

Op het omslag:
De Slag in de Javazee, 27 februari 1942, door J. P. M. Wanders. In 1976 geschilderd
naar aanwijzingen van kapitein-luitenant ter zee A. Kroese, commandant van
Hr. Ms. torpedobootjager 'Kortenaer' (het schip op de voorgrond). Helders
Marinemuseum, Den Helder.

Omslagontwerp: Hans Frederiks
Fotolayout: Chris de Goede
Gezet bij Euroset, Amsterdam
Gedrukt bij Lochemdruk, Lochem
Gebonden bij Sikkens, Deventer

ISBN 90 228 1832 2

© 1980 Unieboek BV, Bussum

Niets uit deze uitgave mag worden verveelvuldigd en/of openbaar gemaakt door middel
van druk, fotocopie, microfilm of op welke andere wijze dan ook zonder voorafgaande
schriftelijke toestemming van de uitgever.
No part of this book may be reproduced in any form, by print, photoprint, microfilm or
any other means, without written permission from the publisher.

Inhoud

Inhoud

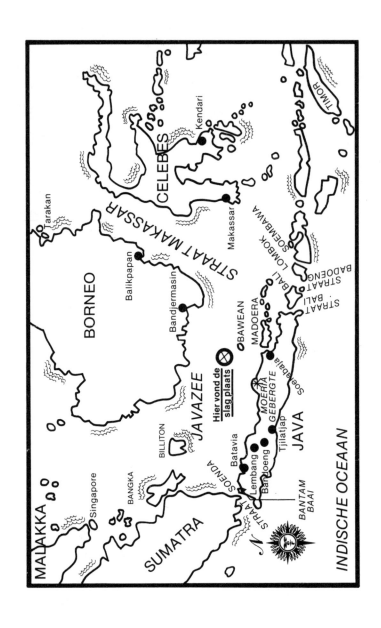

Proloog:
Nederland en de oorlog in de Pacific

In de nacht van 28 februari op 1 maart 1942 landden Japanse strijdkrachten op de noord- en de westkust van Java.

Het was de laatste en beslissende fase van een vrijwel perfect uitgevoerd operatieplan. Tegenstand was er nauwelijks: de chaos onder de Nederlanders, zowel burgers als militairen, op dit belangrijkste eiland van Nederlands-Indië was vrijwel volledig.

De Indonesische bevolking, die aanvankelijk het verloop van de strijd met onverschilligheid had gevolgd, werd onrustig. Op enkele plaatsen werden bezittingen van Nederlanders geplunderd.

In Soerabaja, Tandjong Priok, en in een aantal andere belangrijke militaire steunpunten werden installaties, olievoorraden en munitieopslagplaatsen door speciale eenheden vernield of in brand gestoken. Veel viel nog onbeschadigd in Japanse handen.

De legereenheden op Java trokken zich in wanorde terug, de luchtmacht was vrijwel vernietigd en, zonder bescherming in de lucht, stonden tegenaanvallen op de snel oprukkende Japanse eenheden gelijk aan zelfmoord. Op 5 maart marcheerden Japanse troepen Batavia en Buitenzorg binnen. De resterende Nederlandse eenheden hadden zich op hun laatste stellingen in de omgeving van Bandoeng teruggetrokken.

In de loop van diezelfde 5de maart stegen de vier laatst overgebleven Nederlandse jachtvliegtuigen op van het vliegveld Andir bij Bandoeng. Het was een laatste wanhopige poging om de infanterie te steunen, door vanuit de lucht mitrailleurvuur op de oprukkende Japanners af te geven.

Commandant van de escadrille was kapitein Jaap van Helsdingen.

Onmiddellijk nadat zij waren opgemerkt werden de Nederlandse toestellen omzwermd door Japanse Zerojagers. De Nederlandse machines van het type Brewster waren geen partij voor de ultramoderne supersnelle en zwaarbewapende Zero's van de Japanse marine.

De commandant van de escadrille werd, vlak boven de grond, neergeschoten.

Zijn lijk werd nimmer gevonden.

Op 8 maart volgde de onvoorwaardelijke capitulatie.

Ongeveer acht weken later, op zaterdag 18 april, bladerde ergens in het al bijna twee jaar bezette Nederland een journalist peinzend in een vooroorlogse aflevering van de National Geographic Magazine. Al bladerend viel zijn oog op een foto van een vriendelijk lachend Japans meisje. Die lach moest de lezer verlokken de advertentie, waarvoor de Japanse schone de aandacht vroeg, aandachtig te beschouwen. En zo las hij dat hem romantiek in Nippon wachtte, dat Japan hem bij voorbaat welkom heette, en dat hij de kans van zijn leven zou missen als hij niet naar het Japanse Bureau voor Toerisme zou snellen om plaats te bespreken voor een reis naar Yokohama en Tokio.

Vrijwel op hetzelfde moment dat hij dit las, loeiden, voor het eerst sedert het begin van de Pacific-oorlog, in Tokio de luchtalarmsirenes.

Er waren inderdaad gasten gekomen, vliegtuigen van de Amerikaanse luchtmacht, zij het ook niet via het Japanse toeristenagentschap in New York.

De Amerikaanse luchtraid op dat tijdstip was een sensatie van de eerste orde. Ten tijde van de aanval waren de Filippijnen bezet, en Malakka en Singapore plus geheel Nederlands-Indië in Japanse handen. Bovendien stonden zij voor de poorten van Brits-Indië, en een invasie van Australië was een zeer reëel gevaar.

De Amerikaanse luchtraid had dan ook uitsluitend psychologische waarde. President Roosevelt, de man die deze aanval sterk had gestimuleerd, was zich dat volledig bewust.

De aanval was gelanceerd van het dek van het vliegdekschip Hornet, dat onopgemerkt doorgedrongen was tot op enkele honderden mijlen van de Japanse kust. Een klein aantal – niet meer dan 25 – lichte tweemotorige bommenwerpers kon, onder het nemen van grote risico's, van het voor hen veel te korte vliegdek starten, en laag vliegend om ontdekking te voorkomen, de Japanse eilanden bereiken.

De aanval zelf duurde kort, na amper dertig seconden was alles voorbij. Toch was deze gebeurtenis van enorm belang voor de burgers in de Verenigde Staten en Engeland. Na een schier eindeloze reeks nederlagen in de Pacific kwam het nieuws over deze wilde, avontuurlijke tegenzet, nieuws dat iedereen, murw van een maandenlange reeks sombere berichten van het Pacific-front, een hart onder de riem stak.

Voor de Japanse bevolking en regering was het geen minder grote sensatie. Na de aanval van welgeteld dertig seconden bleef in Tokio het luchtalarm gehandhaafd, niet minder dan zeven uur lang. Radio Tokio reageerde aanvankelijk volslagen incoherent, later volgden geruststellende toespraken van ministers en communiqué's, die over de blakende welstand van de keizerlijke familie berichtten.

De boodschap van de Amerikanen was duidelijk overgekomen: Japan zal, zodra dit mogelijk is, onder zware bombardementen komen te liggen.

En inderdaad, op 23 november 1944 voerden zware viermotorige superforten voor het eerst van grote hoogte een aanval op Tokio uit. Niet lang daarna strooiden vrijwel iedere dag honderden toestellen van dit type hun bommenlast op de Japanse steden. Tien maanden later zou het eilandenrijk onder deze bommenregen, die met twee atoombommen werd bezegeld, tenondergaan.

In de tussenliggende jaren is dapper en hard gestreden. Zowel de Japanse als de

Amerikaanse soldaat geloofde in de waarachtigheid van zijn zaak. Aan geallieerde zijde zou de oorlog in de Pacific, na de val van de Britse en Nederlandse koloniën, vrijwel geheel door Amerikanen worden gevoerd. Hoewel er ook Nederlanders aan de fronten stonden, zowel ter zee als in de lucht, was toch de rol van Nederland in de strijd in de Pacific, na de capitulatie op Java in maart 1942, vrijwel uitgespeeld.

Hoogtepunt van de korte felle strijd tussen Nederland en Japan is de zeeslag geweest, die eind februari 1942 in de Javazee plaats vond. Dit treffen is, na de slag die in mei 1916 in het Skagerrak plaatsvond tussen Britse en Duitse eskaders, de grootste zeeslag in de traditionele betekenis van het woord van de twintigste eeuw.
Voor Nederland is de slag in de Javazee méér dan een verloren zeeslag: dit treffen markeert tevens het eind van een koloniaal rijk, dat welhaast drie eeuwen heeft standgehouden.

Nederlands-Indië, december 1941

Tegen het einde van 1941 begon men zich in het bezette Nederland ernstig ongerust te maken over de toenemende druk, die door Japan op de Nederlandse Oost-
indische koloniën werd uitgeoefend. Na het verbreken van het contact met Nederland in mei 1940 had de kolonie een zelfstandige positie weten te handhaven. De
Japanse pogingen om de eilanden economisch en militair binnen de eigen
invloedssfeer te trekken namen echter voortdurend in sterkte toe. Boven
Zuidoost-Azië kwam een zware oorlogsdreiging te hangen.

Tot ver in de bezettingstijd is het sommige journalisten in Nederland op verbluf-
fende wijze gelukt een redelijk objectief exposé over de toestand in de wereld-
in-oorlog te geven, een exposé dat de censuur blijkbaar zonder al te veel kleer-
scheuren kon passeren. Bekend is de voortreffelijke kwaliteit van de overzichten
die de rubriek 'De Toestand' in de *NRC* gaf, minder bekend zijn de redactionele
commentaren die in sommige tijdschriften werden afgedrukt. Dat waren soms
periodieken waarvan men dit allerminst zou verwachten. Een voorbeeld is het
luchtvaarttechnisch tijdschrift *Vliegwereld*, dat in die jaren door velen werd gele-
zen. Dat was geen wonder in een land dat van nabij het succes van het Duitse
luchtwapen had meegemaakt en waar nu elke nacht het zware gebrom van de
motoren van de Britse bommenwerpers, op weg naar Duitsland, te horen was. Als
er iets de burgerbevolking duidelijk was geworden, dan was dat de belangrijke rol
van het luchtwapen in deze oorlog. In de eerste week van december 1941 gaf het
blad een redactioneel commentaar op de ontwikkelingen in Nederlands Oost-
Indië onder invloed van de toenemende Japanse druk.

"Onze broers, zwagers en vrienden in Indië zijn onder de wapenen geroepen. De
Gouverneur-Generaal heeft op 2 december het Nederlandsche gebiedsdeel in Azië
in staat van beleg verklaard, de luchtmacht en de marine zijn op oorlogssterkte
gebracht en het landleger is paraat. De banden, die ons met Indië binden zijn
sterk. Als men bedenkt, dat voor den oorlog elke week honderden kilogrammen
met dunne 5 grams briefjes van hier naar Batavia gingen, zijn er toch ontzaglijk
veel huiskringen, die vrienden en verwanten in Indië hebben. Daarom ook worden
die dagen van intense spanning in het Verre Oosten hier met grote ongerustheid
beleefd. Een ieder hoopt dat het niet tot een conflict met de Japanners zal komen,

maar daarentegen weten wij allen weer, dat een oorlog in het Verre Oosten onvermijdelijk is.

Dat weet men zoowel in Washington als in Tokio en daarom is ook het diplomatieke spel, dat op het oogenblik bedreven wordt in en rondom het Witte Huis, een
kwestie van het winnen van tijd, een uitstel, dat uitsluitend dient om de militaire
stukken op het groote schaakbord zoo doeltreffend mogelijk te groeperen. De situatie kan met het uur veranderen. De koortsachtige versterkingen van Thailand, het
verschijnen van sterke Japansche vlooteenheden benoorden Britsch Noord-
Borneo (in Serawak ligt een kostbare olieleiding!), de staat van alarm voor Singapore, dat alles zijn normale voorteekenen van een op handen zijnden oorlog. En
wanneer dergelijke voorbereidingen zich eenmaal van dag tot dag, als een feuille-
ton in de dagbladen ophoopen, is het in de historie nog niet voorgekomen, dat dan
nog ter elfder ure het militaire apparaat door een vredelievend accoord voorgoed
tot staan gebracht kan worden."

Op dit punt gekomen werd de schrijver van het commentaar blijkbaar in zijn
overzicht door de feiten achterhaald, want hij vervolgt:

"Het is voor den overzichtsschrijver van dit blad toch al geen sinecure de luchtvaart in verband met de militaire gebeurtenissen over de wereld in al haar geledin-
gen te volgen, maar het is voor hem beslist ondoenlijk om met eenige garantie voor
actualiteit zijn overzicht te kunnen afsluiten. Terwijl wij dit schrijven komen juist
de eerste berichten binnen over den aanval van Japansche marine- en luchtstrijdkrachten op Amerikaansche en Engelsche bases in de Pacific. De bom is ontploft,
de spanning van de laatste weken is nu tot uitbarsting gekomen en de oorlog
tusschen de Vereenigde Staten en Japan, welke door kopstukken op militair en
economisch gebied reeds vele decennia geleden werd voorspeld, is dan nu, in den
jare 1941, een feit geworden. Wanneer dit nummer onder ogen van onze lezers
komt, zullen wel reeds verschillende oorlogshandelingen hebben plaats gehad,
waarbij de luchtmachten in het Oosten een belangrijke rol is toebedeeld. Het feit,
dat de Japanners met vliegdekschepen naar Pearl Harbor en Manila zijn opge-
stoomd, om daar luchtaanvallen door te voeren, is reeds een aanwijzing hiervoor.
Over welke effectieven de Japansche luchtmacht momenteel beschikt, weten wij
niet precies. Zoowel de Japansche vliegtuigindustrie als de luchtmacht hebben
zich nimmer kunnen losmaken van de voortgang der techniek der Europeesche en
Amerikaansche mogendheden . . . De luchtmacht zal een buitengewoon groote rol
moeten vervullen in het Verre Oosten. De Amerikaansche vliegtuigen zijn ongetwijfeld moderner en technisch superieur aan die der Japanners . . ."

Op het ogenblik waarop de Japanners boven Pearl Harbor verschijnen ligt Nederlands Oost-Indië – door het tijdsverschil – nog in diepe rust verzonken.
Even over vieren in de morgen van 8 december beginnen dan de eerste berichten
door te dringen tot de hooggeplaatste regeringspersonen en tot de bevelhebbers van
leger, vloot en luchtmacht. Berichten over bombardementen op Manila en Singapore volgen. Er gaan onmiddellijk waarschuwingen uit naar de koopvaardijvloot.
Om zeven uur, als het Indisch huishouden met het eerste kopje koffie op gang is   11

gekomen, klinkt onverwacht door de radio de rustige stem van de Gouverneur-Generaal.

"Medeburgers! Door onverhoedse aanvallen op Amerikaanse en Britse gebieden, terwijl de diplomatieke besprekingen nog gaande waren, heeft het Japanse Keizerrijk bewust gekozen voor een beleid van geweld. Deze aanvallen, die welhaast aan waanzin doen denken en thans – naast het reeds strijdende China – de Verenigde Staten van Amerika en het Britse Rijk in actieve oorlog met Japan hebben betrokken, beogen de vestiging van de Japanse heerschappij over heel Oost- en Zuidoost-Azië. Deze veroveringslust richt zich zeker niet in de laatste plaats ook op Nederlands-Indië. De Nederlandse Regering aanvaardt deze uitdaging en neemt tegen het Japanse Keizerrijk de wapenen op."

Voor de Japanse burger komt de oorlog al even onverwacht. 's Morgens om half acht heeft Radio Tokio iedere dag een veelbeluisterde uitzending, waarin klassieke muziek ten gehore wordt gebracht. In plaats van een symfonie horen de verbaasde luisteraars een omroeper, die steeds hetzelfde bericht herhaalt: er is een oorlog uitgebroken tussen Japan en de Verenigde Staten.

Een uur later eerst worden berichten uitgezonden waarin melding van de lucht-aanvallen op Pearl Harbor wordt gemaakt. Terzelfdertijd wordt in de Japanse hoofdstad op de deur van de daar wonende Amerikaanse en Engelse burgers geklopt: politie verschijnt om hen te interneren.

Overigens blijkt die politie voortreffelijk op de hoogte te zijn van het doen en laten van de vreemdelingen in de Japanse hoofdstad. Allen zijn, zonder daar iets van te hebben bemerkt, al dagenlang geschaduwd.

De Japanse regering laat, ook al weer omstreeks deze tijd, via de ether bekend maken dat de aangevangen strijd in de geschiedenis de naam zal dragen van: de Oorlog van het Groter Oost-Azië . . .

De Europese bondgenoten van Japan zijn – binnenskamers – weinig gelukkig met deze aanval op de koloniale bezittingen in Azië. Dat geldt zelfs voor Hitler: "Wat er in het Verre Oosten geschiedt is niet mijn bedoeling. Ik heb de Engelsen jaren voorgehouden, dat zij het Verre Oosten zouden verliezen als ze in Europa in een oorlog betrokken werden. Zij antwoordden niet, maar deden erg superieur. Het zijn meesters van de arrogantie. Ik was ontroerd, toen Mussert tegen me zei: 'U zult me op dit ogenblik begrijpen. Drie eeuwen arbeid gaan op in rook'."

Deze mismoedigheid van Mussert is wel te begrijpen: in Nederlands-Indië was – althans vóór september 1939 – zijn aanhang groot, relatief groter dan in Nederland. Niet dat een ieder daar open voor uitkwam. Maar Mussert – die Indië in de zomer van 1935 bezocht heeft en daar uitstekend ontvangen werd – weet, dat vóór het uitbreken van de oorlog in Europa een belangrijk deel van de giften in zijn partijkas anoniem door met zijn ideeën sympathiserende Nederlanders in Indië werd gestort. De inval van Nazi-Duitslands bondgenoot in het Nederlandse koloniale bezit valt zowel hem als zijn aanhang in het bezette vaderland rauw op het dak.

Niet iedereen is zo gematigd. Himmler bijvoorbeeld ziet meer in de zaak dan Mussert en dan zijn Führer, hij beschouwt het als een voordeel, zo zegt hij, dat de

Hollanders nu althans niet meer het gevaar lopen hun bloed met dat van de Malei-
siërs te vermengen!

Enige maanden lang, tot maart 1942, staat Nederlands Oost-Indië in het brand-
punt van de belangstelling. De land-, zee- en luchtstrijdkrachten van deze Nederlandse kolonie worden plotseling door Engelse en Amerikaanse journalisten
ontdekt en zwellen door optimistische kranten en radioverslagen en door veelvuldig fotograferen en filmen aan tot een aanzienlijke strijdmacht.
"Er werd eens een uitzending van de NIROM [Nederlandsch-Indische Radio
Omroep] door Radio Oranje gerelayeerd, waarin een beschouwing werd geleverd
over de defensieve kracht van Nederlandsch-Indië onder vermelding van zekere
hoopgevende cijfers. Welke hooge militaire autoriteit hier aan het woord was, de
chef van den Generalen Staf of de Legercommandant, zijn wij vergeten. Ook of hij
het had over een troepensterkte van honderd-, tweehonderd-, of driehonderddui-
zend man. Het eenige wat ons vast in het geheugen is gebleven, was de vermelding
dat Indië over tweeduizend vliegtuigen beschikte.
Hoewel wij er even duizelig door werden, voelden wij toch: dan is alles in orde.
Tegen een dergelijke macht kan, onder de voor ons heersende omstandigheden,
geen vijand op." (Küpfer)
Waarschijnlijk heeft deze uitzending op of omstreeks 1 september 1941 plaatsgevonden. Op deze dag wordt een grote militaire parade gehouden op het Konings-
plein in Batavia. Voor de ogen van de duizenden toeschouwers ontrolt zich een
indrukwekkend militair schouwspel, dat een goed beeld schijnt te geven van de
paraatheid, de kracht en de efficiëntie van de Nederlands-Indische strijdkrachten,
strijdkrachten die, volgens de enthousiaste verslaggevers, in de afgelopen jaren tot
een machtig en modern oorlogsapparaat zijn uitgegroeid.
Sommigen menen dat zelfs Japanse waarnemers op die eerste september onder de
indruk van die parade zijn geweest, en dat naar aanleiding daarvan de inval in
Nederlands-Indië met veel sterkere strijdkrachten heeft plaatsgevonden dan nodig
was. Het is de vraag of dit juist is: de Japanse spionage was heel goed op de hoogte
van de werkelijke stand van zaken. De sterkte van de in Nederlands-Indië door
Japan ingezette strijdmacht was veel meer gebaseerd op het grote belang dat men
in Japan aan dit gebied als grondstoffenleverancier hechtte. Nederlands-Indië
was – en dat was achteraf een ernstige strategische vergissing – voor Tokio het
belangrijkste oorlogsdoel. De aanval op de Amerikaanse vloot in Pearl Harbor
was in eerste instantie bedoeld om de handen vrij te krijgen voor de verovering van
Nederlands-Indië. Daarbij is eerder het Amerikaanse potentieel onderschat dan
dat de Nederlandse strijdkrachten overschat werden.

In Indië zelf heerst onder de Nederlandse burgers in die dagen na Pearl Harbor
groot optimisme over de eigen militaire kracht. In de sociëteiten valt een niet
ongezellige opwinding en drukte te bemerken: er is stof tot gesprekken te over.
Vrijwel iedereen schijnt er absoluut van overtuigd te zijn dat het land in alle
opzichten zijn mannetje kan staan. En dat is een prettige en geruststellende
gedachte. Er wordt veel geoefend en parades zijn aan de orde van de dag. In de   13

dagbladen verschijnen regelmatig optimistische verslagen en natuurlijk indrukwekkende foto's. Dit alles laat niet na grote indruk te maken op alle lagen van de Nederlandse bevolking.

De Indonesische bevolkingsgroep daarentegen lijkt nauwelijks in de gang van zaken te zijn geïnteresseerd.

Het onstuitbaar opdringen van de Japanners in december en januari, het verlies van de Britse slagschepen 'Prince of Wales' en 'Repulse', de capitulatie van Singapore (op 15 februari, om 7 uur in de avond van een druilerige regenachtige zondag), de bezetting van de buitengewesten, dat alles maakt aan dit vertrouwen in eigen kracht in enkele weken een einde. Het zwartste pessimisme komt ervoor in de plaats. Verbijsterd vraagt een ieder zich af hoe men in een paar weken door zo'n zwak geachte tegenstander zo volkomen onder de voet kon worden gelopen.

De Indonesische bevolking houdt zich, zoals al werd opgemerkt, koel en afzijdig. Toch volgt men de gebeurtenissen aandachtig.

Enkele maanden voor het uitbreken van het conflict, op 23 augustus 1941, heeft een groot aantal Indonesische leden van het bestuursorgaan de Volksraad nog eens een beroep gedaan op het zelfbeschikkingsrecht, zoals dit, voor alle volkeren, in het Atlantic Charter van Roosevelt en Churchill (in die zelfde maand) werd afgekondigd. Het is bepaald niet de eerste maal dat door prominente Indonesiërs om zelfbeschikkingsrecht voor hun land wordt gevraagd. De Nederlandse regering in Londen antwoordt:

dat zij met het Atlantic Charter geheel instemt,

dat dit 'staatsstuk' over internationale verhoudingen gaat,

dat het zich dus niet met interne verhoudingen in een staat bezighoudt,

dat de Nederlandse regering overigens reeds lang handelt volgens de beginselen, die in het Charter worden verkondigd, dat er dus geen aanleiding is voor een nieuwe bezinning over het beleid ten aanzien van de Indonesische volkeren, die onder Nederlands bewind staan,

en dat er na de oorlog verder zal worden beraadslaagd.

Hiermee liet de Nederlandse regering in 1941 de laatste kans lopen actieve steun van de Indonesische bevolking te verkrijgen bij de strijd tegen Japan – waarvan men toch heel goed wist dat hij voor de deur stond.

De Indonesiërs blijven dan ook de Nederlandse bedoelingen wantrouwen en zien met onverschilligheid de Nederlandse nederlaag naderbij komen. Daarbij groeit hun achting voor de – schijnbaar onstuitbare – Japanse militaire overmacht.

De komende strijd zal dan ook vrijwel uitsluitend gevoerd moeten worden door Nederlanders en met de militaire middelen, die door het moederland in de loop van de jaren dertig aan het Nederlands-Indisch gouvernement ter beschikking zijn gesteld.

Bijzonder veel is dat niet geweest.

Verdedigingsplannen in de jaren dertig

Aan het eind van de negentiende eeuw was men in Den Haag van mening dat, in geval van oorlog in Indië, alleen een verdediging van het eiland Java noodzakelijk was. De overige eilanden – de buitengewesten – werden vrijwel niet in de defensieplannen betrokken. Ze hadden in een tijd, waarin petroleum en rubber nog nauwelijks een rol speelden, geen grote betekenis. Daarom, zo was besloten, zou alleen Java verdedigd worden, en dan nog alleen de hoogvlakte rondom de plaats Bandoeng.

In het jaar 1913, toen de kaarten in de wereldpolitiek geleidelijk anders kwamen te liggen, werd er door een staatscommissie geadviseerd van die oude opvatting af te stappen. Heel Nederlands-Indië moest verdedigd worden, en wel in hoofdzaak door de bouw van een sterke slagvloot. Dat was in een tijd, waarin de wedloop tussen Engeland en Duitsland in het bouwen van een vloot van slagschepen het strategisch denken van alle Europese landen in beslag nam.

Vervolgens, nadat het in en na de eerste wereldoorlog duidelijk werd dat ook het vliegtuig een belangrijke rol ging spelen, werd er in de Nederlandse kolonie ook een militaire luchtmacht: de 'Luchtvaart Afdeling' opgericht. Er werden enkele vliegtuigen gekocht, die door in Nederland opgeleide piloten werden gevlogen. Alles moest, dat was duidelijk, gezien de altijd sombere economische toestand, met geringe financiële middelen geschieden.

Naast die slechte financiële situatie speelden nog andere factoren een rol, factoren die de luchtmacht tot een absoluut minimum reduceerden.

Toen de luchtmacht aanstalten maakte om ook buiten Java te gaan vliegen en daarvoor een aantal amfibievliegtuigen wilde aanschaffen, (dat was omstreeks 1920) ontstond er wrijving met de marine. Alles wat bij de zee hoorde werd als werkterrein door de zeemacht opgeëist. Dit conflict tussen de twee krijgsmachtonderdelen liep zo hoog op dat het de luchtmacht tenslotte zelfs gedurende enkele jaren verboden werd Java te verlaten! Dit dieptepunt lag in het begin van de jaren dertig. Daarna kwam er geleidelijk enige verbetering in de verstandhouding. Men kreeg zelfs enige waardering voor elkanders werk.

Ondertussen had de marine haar eigen luchtvaartafdeling gekregen: de Marine Luchtvaartdienst. Deze beschikte voor de zeeverkenning over een aantal watervliegtuigen.

15

De luchtmacht kreeg tot aan het eind van de jaren dertig niet al te veel belangstelling. Als grondslagen voor de defensie golden namelijk de volgende principes:
Het handhaven van orde en rust in de binnenlanden was en bleef uitermate belangrijk. Dat was een taak, die uitsluitend het leger aanging.
De handhaving van de neutraliteit van het eilandenrijk daarentegen was in de eerste plaats de taak van de zeemacht. In dit schema was voor de luchtmacht dus geen plaats ingeruimd. Deze grondregels hebben geleid tot een jarenlange verwaarlozing van de luchtstrijdkrachten en, toen de oorlog uitbrak, tot een zeer povere samenwerking tussen de zee en de luchtmacht.

In 1935 was de luchtmacht werkelijk op een absoluut dieptepunt aangekomen. Op dat moment beschikte men welgeteld over achttien gevechtsklare toestellen van een volkomen verouderd model. Ondanks het feit dat de regering in Den Haag op bezuiniging bleef aandringen, werd het nu wel duidelijk dat dit zo niet verder kon gaan.
De vraag was welk type vliegtuig er moest worden aangeschaft. Moesten dit toestellen zijn voor luchtverkenning (een belangrijke dienstverlening aan land- en zeemacht) of moesten jagers dan wel bommenwerpers worden gekocht? Het werd voor dr. Colijn, die in deze periode optrad als minister van koloniën, een moeilijke keus. Naast financiële, speelden ook technische en strategische factoren een rol. En dat waren factoren, die in die jaren nog door geen mens konden worden overzien. Zo kon niemand weten wat de rol van bommenwerpers en jagers in de komende oorlog zou worden, de experts waren het daarover nog allerminst eens.
Toch moest er een beslissing worden genomen. Op 15 december 1936 werd door Colijn in de Tweede Kamer in Den Haag een verklaring afgelegd, waarin de plannen van de regering uit de doeken werden gedaan.
Hij deelde mee, dat in Indië een strijdmacht van bommenwerpers zou worden geschapen. Een aantal eskaders bommenwerpers, aldus de verklaring, vormde een zeer snel te verplaatsen macht. Overal waar een aanvaller de archipel binnenviel zou deze macht onmiddellijk in kunnen grijpen. De grote afstanden in het eilandenrijk konden immers alleen snel door vliegtuigen worden overbrugd. Deze eskaders bommenwerpers zouden, aldus de mening van de regering, heel goed in staat zijn om zichzelf te beschermen. Jachtvliegtuigen waren daarom niet noodzakelijk . . . zo dacht men.
Nadat deze beslissing genomen was, rees de vraag welk type bommenwerper gekozen moest worden om deze hoogst belangrijke taak te vervullen. De keus viel tenslotte niet op een produkt van de Nederlandse industrie – het Nederlands-Indisch gouvernement was niet van plan om bij de opbouw van de defensie met de belangen van de nationale oorlogsindustrie rekening te houden.
Gekozen werd een Amerikaans model, en wel de Glenn Martin 139 W. Het was een tweemotorige, geheel metalen middendekker, degelijk, maar zeker niet ultra-modern voor die dagen. De maximumsnelheid van de machine was 280 kilometer per uur, hetgeen ook voor die tijd niet bijzonder snel te noemen was. Het toestel kon 1000 kilogram bommen vervoeren. De bewapening van deze 'luchtkruiser' bestond uit drie mitrailleurs van 7,7 mm. Onduidelijk bleef hoe de regering dacht

dat een toestel met een dergelijk povere bewapening zichzelf in een luchtgevecht zou kunnen beschermen.

Na enkele jaren kwam men tot de ontdekking, dat een vloot van jagers toch bepaald niet gemist kon worden om dit snel verouderende toestel op zijn militaire missies te beschermen: de vele luchtgevechten tussen Spitfires en Messerschmitts in de Europese oorlog maakten overduidelijk dat deze vloot van enigszins bedaagde bommenwerpers bijzonder kwetsbaar was en voor de verdediging van Nederlands-Indië in de lucht volkomen onvoldoende.

Er werden derhalve nieuwe bestellingen geplaatst en wel wederom in de Verenigde Staten. Zo begon het aantal beschikbare jachtvliegtuigen geleidelijk wat te groeien. Bij het uitbreken van de oorlog met Japan stonden er in totaal iets meer dan honderd jagers ter beschikking. Echter, dit materiaal bestond zeker niet uit de allermodernste typen – die stonden in de Verenigde Staten nog op de geheime lijst en mochten niet worden geëxporteerd. Tijdens de gevechten in de lucht zou blijken dat geen van de modellen tegen de jagers van de Japanse Marine was opgewassen. Overigens zou het tot het eind van 1942 duren voordat ook in Amerika in grote aantallen typen ter beschikking kwamen van dezelfde of een betere kwaliteit dan het Japanse materiaal.

Na 7 december 1941 probeerde het Indisch gouvernement uiteraard met alle mogelijke middelen de stroom militaire vliegtuigen naar Java op te voeren in een wanhopige poging om nog op het laatste ogenblik een luchtverdediging op te bouwen. Toen was geld geen probleem meer . . .

Maar op dat moment hadden de belangrijkste leveranciers, Engeland en de Verenigde Staten, zelf dringend al het beschikbare materiaal nodig. De bereidheid om te leveren was niet groot.

Toch zijn er in de maanden december 1941 tot maart 1942 nog kleine aantallen machines per schip op Java aangekomen. Maar deze toestellen werden alle gedemonteerd aangevoerd. Voor de montage was tijd, kennis van zaken en rust nodig, allemaal factoren die in deze spannende dagen ontbraken.

Het schijnt gelukt te zijn om in totaal nog zo'n dertig jagers in de lucht te krijgen. Het merendeel van het met veel moeite aangevoerde materiaal werd, nog in de kratten verpakt, vernietigd of viel de Japanners in handen. Zo hebben deze toestellen geen rol van betekenis meer gespeeld. Wel een rol heeft gespeeld een klein aantal Amerikaanse machines, dat door de Japanse opmars op de Filippijnen naar het zuiden was verdreven. Tot deze vliegtuigen behoorde een handvol bommenwerpers van het allermodernste type: viermotorige Vliegende Forten. Maar dat aantal was te gering om de Japanse stormvloed te keren, of zelfs maar te vertragen.

Het Nederlands-Indisch Eskader

Volgens plannen uit de jaren dertig had de Koninklijke Marine een sterk en modern eskader in Nederlands-Indië moeten opbouwen. Daar is niets van terechtgekomen. Iedere marineman, van hoog tot laag, wist in 1940 hoe zwak en hoe verouderd het overgrote merendeel van het beschikbare materiaal was. Eindeloze bezuinigingen, politieke factoren, impopulariteit van de krijgsmacht bij de bevolking, dat alles heeft daarbij een rol gespeeld. Eerst in april 1940 werd in de Volksraad in Indië een vlootplan besproken, waarin een versterking met drie slagkruisers werd aanbevolen. Op dat moment, vlak voor de Duitse inval in Nederland, was er geen enkele kans meer op enige vervanging of vernieuwing van de oorlogsbodems. Bovendien viel Nederland niet alleen als leverancier van materiaal maar ook van personeel uit.

De bemanningen in Indië werden aangevuld met Indonesische dienstplichtigen. In juli 1941 was in de Volksraad een Dienstplichtordonnantie voor onderdanen – niet-Nederlanders – in Nederlands-Indië ingediend en aangenomen. Uiteraard was dat een beslissing waartegen de Indonesische nationalisten ernstige bezwaren hadden: men wenste geen regiem te verdedigen, waar men zelf geen deel van uitmaakte. De technische scholing van deze dienstplichtigen leverde bovendien grote moeilijkheden op: de faciliteiten voor dergelijk technisch onderwijs ontbraken in de archipel, ook weer een direct gevolg van bezuinigingen en van de politieke opvattingen, die in die jaren opgeld deden. De beschikbare tijd om daar nog wat aan te doen was te kort. Buitendien, snelle reorganisaties of improvisaties in oorlogstijd zijn uitermate gevaarlijk, iets dat men ook in Nederlands-Indië in december 1941 terdege heeft gemerkt. De kans op het ontstaan van een onoverzichtelijke situatie, die uitmondt in een chaos is dan levensgroot. Uiteindelijk is Indië de oorlog ingegaan met een vlooteskader, dat zelfs al vóór 1939 beschouwd werd als belangrijk minder dan de helft van het absoluut noodzakelijke minimum. Fotograferen en uitbundige commentaren in de pers konden daar niets meer aan veranderen. Het kostte zelfs moeite dit peil te handhaven – versleten materiaal kon niet worden vervangen.

De zeestrijdkrachten van Nederland in de Indische wateren, het Nederlands-Indisch eskader, staan begin december 1941 onder commando van vice-admiraal Helfrich. De tweede man, de eskadercommandant, is schout-bij-nacht Doorman.

De belangrijkste onderdelen van zijn eskader zijn:
1. De lichte kruisers 'De Ruyter' en 'Java', en de flotillebootleider 'Tromp', die ook tot de lichte kruisers gerekend kan worden. Alleen de 'Tromp' is van een recent bouwjaar.
2. Een divisie torpedobootjagers, bestaande uit de zeven jagers 'Witte de With', 'Kortenaer', 'Piet Hein', 'Banckert', 'Van Nes', 'Evertsen', en 'Van Ghent'. Een deel van deze schepen is verouderd of aan een grote beurt toe.
3. Een flotille van twaalf onderzeeboten.

Dit eskader wordt in de maanden december en januari aangevuld met enkele Amerikaanse en Britse oorlogsbodems, die door de oprukkende Japanners hun eigen marinebasis in Singapore of de Filippijnen verliezen. Ook wordt de vloot nog met enig Australisch materiaal versterkt. Niettemin, in vergelijking met de totale Japanse effectieven ter zee, is de getalsterkte van deze gecombineerde vloot minimaal.

De Japanse marine bezit in 1941 tien slagschepen, tien vliegdekschepen, achttien kruisers, twintig lichte kruisers en meer dan honderd torpedobootjagers. Slechts een deel van deze vloot wordt in de Indische wateren ingezet. Een belangrijk deel van het materiaal is van moderne makelij.

De Japanse vliegdekschepen beschikken bovendien over een eigen jachtvliegtuig, dat door de Mitsubishi fabriek is ontworpen. Dit toestel wordt in de geallieerde oorlogsberichten al gauw bekend als de Zero of Zeke jager.

Het is een van de grootste verrassingen van de tweede wereldoorlog.

De luchtmacht van beide partijen

In de meidagen van 1940 werden de Nederlandse vliegers, in de strijd tegen de Duitse Luftwaffe, met een honderdtal merendeels verouderde vliegtuigen de lucht ingestuurd. Dat was alles wat er beschikbaar was. De belangrijkste Nederlandse jager was de in 1936 ontworpen D XXI. Dit produkt van Fokker was een éénmotorige laagdekker. Het toestel beschikte niet over de nieuwste technische ontwikkeling, een intrekbaar landingsgestel, dat de stroomlijn belangrijk bevorderde. Door dit nadeel was de machine niet bijzonder snel. Het gevolg was dat het ten opzichte van de goed gestroomlijnde Duitse Messerschmitts duidelijk de mindere was.

Eenzelfde situatie deed zich in nog veel ernstiger mate voor op het strijdtoneel in de Pacific. Amerikanen, Engelsen en Nederlanders gingen de oorlog in met de vaste overtuiging dat hun Japanse tegenstander slechts beschikte over een beperkt aantal verouderde, zwak bewapende en slecht gestroomlijnde toestellen, matige kopieën van hun eigen modellen uit het begin van de jaren dertig. Japan mocht dan wel over een grote zeemacht beschikken – dat was bekend – de luchtmacht daarentegen leverde geen enkel gevaar op.

Zelden is een tegenstander in allerlei opzichten zo volkomen onderschat als Japan in 1941. Hoewel de Japanners reeds gedurende meer dan een jaar met hun moderne jachtvliegtuigen aan het front in China waren verschenen en daar vrijwel de gehele Chinese luchtmacht hadden geëlimineerd, bleven de technische experts in de westelijke wereld nog steeds geruststellende mededelingen in de pers verspreiden: de Japanse toestellen waren immers hoofdzakelijk povere imitaties van Westeuropese en Amerikaanse modellen. Bovendien zouden de Japanners maar slechte vliegers zijn, iets wat naar de deskundigen meenden, met hun ogen te maken scheen te hebben.

De plotselinge aanval op Pearl Harbor door een groot aantal moderne machines is voor de geallieerden dan ook in allerlei opzicht een geweldige schok. Dan blijkt namelijk, we hebben het reeds vermeld, dat er niet één geallieerd vliegtuigtype bestaat dat tegen de Zerojager opgewassen is.

Dit toestel, in gebruik bij de Keizerlijke Japanse Marine, draagt officieel de naam Mitsubishi A6M, type O. Het is een uiterst licht, doch sterk gebouwd toestel met een intrekbaar landingsgestel, goed gestroomlijnd en met een stermotor van 1300 PK. Bovendien beschikt het over een nieuwe vinding, afwerpbare extrabenzine-tanks, waardoor de' reikwijdte van het toestel enorm wordt vergroot. Volkomen onverwacht duikt het hierdoor bóven alle gevechtsterreinen op. De Japanse zeemacht kan onder bescherming van deze machine, vrijwel ongestoord opere-ren.

Het geheim van dit succes wordt later, nadat er een machine in geallieerde handen gevallen is, door een zekere kolonel Hayward van het testcentrum van de Ameri-kaanse luchtmacht in een paar woorden weergegeven: "De Zero, dat is een lichte sportmachine met een zware motor." Het toestel is inderdaad zeer licht, maar sterk gebouwd en daardoor zowel zeer snel als wendbaar. Het aangaan van een gevecht ermee is, althans voor de bestaande geallieerde jagers, vrijwel altijd dode-lijk. De fouten van het toestel komen eerst een jaar later, als betere Amerikaanse jagers aan het front verschijnen, voor de dag: de zitplaats van de vlieger is niet gepantserd en de benzinetank niet zelfafdichtend. Enkele treffers zijn al voldoende om een Zerojager in vlammen te doen opgaan.

In december 1941 echter, in de Indonesische archipel, vindt de Zero slechts een beperkt aantal Nederlandse machines van Amerikaanse makelij tegenover zich, modellen die technisch de mindere van het Japanse materiaal zijn. Het gevolg is dat de kleine Nederlandse luchtmacht binnen enkele weken door de Japanners kan worden uitgeschakeld. Uit gegevens die na de oorlog bekend werden, blijkt dat het aantal beschikbare Zerojagers lang zo groot niet geweest is als de geallieerden in 1941 dachten. In totaal, voor het hele strijdtoneel in Zuidoost-Azië, heeft men met ongeveer 400 jagers van dit type te doen gehad.

Pearl Harbor

Op 7 december 1941 voeren, in een verrassende actie, ongeveer tweehonderd Japanse toestellen luchtaanvallen uit op de Amerikaanse vloot- en luchtmachtbasis Pearl Harbor. Hoewel de machines tijdig op radarschermen worden waargenomen, en hoewel deze meldingen onmiddellijk worden doorgegeven, is de verrassing volkomen: het bericht is door de verantwoordelijke militaire autoriteiten als ongeloofwaardig terzijde gelegd. Met hun aanval brengen de Japanners vier slagschepen tot zinken, één wordt fel brandend op het strand gezet en drie andere worden zwaar beschadigd. Voorts worden drie torpedobootjagers, een mijnenlegger en een drijvend droogdok vernietigd. Daarnaast loopt een aantal andere schepen, waaronder drie kruisers, flinke schade op. Bij dit alles vallen honderden doden en gewonden.

Nu beschikken de Amerikaanse machinestrijdkrachten op dit moment ook over een zevental vliegdekschepen, maar geen van deze schepen bevindt zich, toevallig genoeg, ten tijde van de aanval in Pearl Harbor. En juist het vliegdekschip zal de kern van de elkaar bekampende zeemachten in de komende Pacific oorlog worden. Slagschepen daarentegen blijken al hun betekenis te hebben verloren, zij zijn veel te kwetsbaar voor luchtaanvallen. Hoewel dat de eerste maanden van het Pacific conflict niet duidelijk zal worden, is toch de raid op Pearl Harbor in bepaalde opzichten voor de Japanners een gemiste kans. Daar komt nog bij dat tijdens de raid de walinstallaties niet of nauwelijks zijn beschadigd, zodat Pearl Harbor als marinebasis verder kan blijven functioneren.

In wezen is het grote verlies aan vliegtuigen voor de strijd in de Pacific veel belangrijker dan de spectaculaire vernietiging van de slagvloot. Van de 273 legervliegtuigen, die op de legervliegvelden Hickam en Wheeler in keurige rijen staan opgesteld, worden er 93 volledig vernield en 100 zwaar beschadigd, van de 202 vliegtuigen, die de marine op Hawaii heeft, gaan er 150 verloren.

Een aantal – merendeels jongere – Japanse marineofficieren aan boord van de vliegdekschepen die de aanval hebben uitgevoerd, is met het resultaat nog niet tevreden. Zij dringen er, zodra de vliegtuigen weer op de carriers zijn geland, op aan de actie voort te zetten. De toestellen kunnen immers onmiddellijk opnieuw in
actie komen om de vliegdekschepen van de Amerikaanse vloot op te sporen. Deze

moeten ergens in het zeegebied ten zuiden van Hawaii op manoeuvre zijn. Eerst een aanval hierop zal de overwinning volledig maken. Maar het aandringen van de jonge officieren leidt tot niets: het opperbevel heeft uitsluitend tot deze luchtaanval op Hawaii besloten en is niet van plan, daarvan af te wijken. Volgens de plannen moeten nu de Europese koloniën bezet worden, dat zijn de Filippijnen, Malakka, Singapore en, niet te vergeten Nederlands-Indië. Uit deze gebieden moeten de grondstoffen voor de verdere voortzetting van de oorlog komen. In Tokio meent men met de aanval op Pearl Harbor voorlopig voldoende te hebben gedaan om de Amerikanen hierbij op een afstand te houden.

De strategische plannen van de Japanners worden in de hand gewerkt door de onbegrijpelijke laksheid waarmee de geallieerden op de aanval reageren. Zo krijgt een formatie Japanse bommenwerpers alle gelegenheid, tien uur na de aanval op de marinebasis op Hawaii, een soortgelijke raid op het belangrijke militaire vliegveld Clark Field op de Filippijnen uit te voeren.

Ook hier staan alle toestellen weer keurig in rijen opgesteld, glinsterend in de zon. Al dit materiaal wordt vernietigd, tegen het verlies van zelfs geen enkel Japans toestel. Daarmee is de Amerikaanse luchtmacht op de Filippijnen in één slag uitgeschakeld.

Hiermee hebben de Japanse strijdkrachten in Zuidoost-Azië voorlopig vrij spel. Alle geallieerde posities in dit gebied storten in de maanden december en januari als een kaartenhuis ineen. Het aantal Japanse overwinningen is te groot om hier op te noemen. Tegelijkertijd met de aanval op de marinebasis Pearl Harbor vinden al landingen plaats op de oostkust van Malakka. Twee dagen later, op 10 december, worden Japanse troepen op Luzon in de Filippijnen aan land gezet. Op 16 december is de beurt aan de Britse posities op Noord-Borneo, hier worden de voor de oorlogvoering belangrijke olievelden van Miri in een snel tempo veroverd.

Bij al deze aanvallen worden de zwakke geallieerde strijdkrachten, vaak met het grootste gemak, onder de voet gelopen. De Japanse superioriteit in de lucht speelt bij dit alles een doorslaggevende rol.

De resten van de geallieerde strijdkrachten trekken zich met het overgebleven materiaal terug, hetzij op de belangrijke Britse basis Singapore, hetzij op het centrale eiland van Nederlands-Indië: Java.

December en januari

In vergelijking met de eskaders welke de Verenigde Staten er op andere wereld-
zeeën op na houden, is de eenheid die in het zeegebied rondom China, Indo-China
en Japan opereert, niet groot. De U.S. Asiatic Fleet, zoals het eskader genoemd
wordt, dient van oudsher – dat wil zeggen al gedurende een eeuw – de Amerikaanse handelsbelangen in China en Japan zeker te stellen.
Het Aziatisch eskader is bij de marinemensen geliefd. Elk jaar worden wegens het
vlagvertoon beleefdheidsbezoeken gebracht aan allerlei exotische havens zoals
Singapore, Hanoi, Hongkong en Tandjong Priok, de haven nabij Batavia. Heel
wat marinepersoneel probeert om, met het gezin, voor tenminste enige jaren naar
dit gebied te worden overgeplaatst.
Aanvankelijk was de U.S. Asiatic Fleet in Shanghai gestationeerd, maar in de
laatste maanden van 1941 wordt besloten om, gezien het voortdurend toenemende
oorlogsgevaar, het eskader zoveel mogelijk in Manila te concentreren.
Eind 1941 bestaat de U.S. Asiatic Fleet uit een vijftiental onderzeeboten. zes
kanonneerboten, dertien destroyers, dat wil zeggen torpedobootjagers (zogenaam-
de fourstackers, we komen daar later nog op terug) en verder uit enkele mijnenve-
gers, sleepboten, tankers en dergelijke. Vlaggeschip van het eskader is de zware
kruiser 'Houston'. Over vliegdekschepen beschikt het eskader niet, dit in tegenstelling tot de veel sterkere U.S. Pacific Fleet, die in Pearl Harbor haar basis heeft
en daar door de Japanners is verrast.
Opperbevelhebber van deze dus vrij kleine Asiatic Fleet is admiraal Thomas C.
Hart. Na het snelle verlies van de bases in de Filippijnen hebben alle oorlogsbodems die tot zijn eskader behoren het bevel ontvangen te trachten de vlootbases in
Nederlands-Indië te bereiken. Zelf zal hij ook, zo is het plan, op het moment
waarop de situatie onhoudbaar wordt naar de Nederlandse kolonie uitwijken. Er
staan enkele vliegtuigen klaar om hem, tezamen met zijn stafofficieren, naar Java
te vliegen. Deze toestellen, watervliegtuigen, zijn in de mangrovebossen verborgen. Ze worden echter door de alom aanwezige Zerojagers ontdekt en vernietigd.
Zo kan hij alleen nog met een onderzeeboot aan Japanse gevangenschap ontkomen. Om twee uur in de nacht van de 26ste december vertrekt hij. In de middag
van Nieuwjaarsdag 1942 ontrolt zich voor de ogen van de bemanning van een

Nederlandse patrouilleboot, die de toegangsgeulen naar de haven van Soerabaja bewaakt, een merkwaardig schouwspel. Er nadert een onderzeeboot, de 'Shark', die de vlag met vier sterren van een admiraal van de United States Navy voert. Het schip heeft admiraal Thomas C. Hart, opperbevelhebber van de U.S. Asiatic Fleet, aan boord.

Terwijl in de laatste dagen van 1941 de positie van zowel de Verenigde Staten, Engeland als Nederland in Azië afbrokkelt, wordt door de 'warlords' in Washington, het opperste geallieerde oorlogsorgaan (Combined Chiefs of Staff), gedwongen door de omstandigheden, een gezamenlijk oppercommando voor de Zuidwest-Pacific ingesteld. Het krijgt de naam ABDAcommand, en wel ABDA van American, British, Dutch en Australian. Tijd om deze samenwerking te testen is er niet meer. Hierdoor worden allerlei fouten gemaakt. Men vergeet zelfs in de haast om de Nederlandse regering in Londen over de plannen tot een gemeenschappelijk opperbevel te raadplegen of zelfs maar tijdig te informeren.

Opperbevelhebber wordt geen marineman. Gekozen wordt, na enig touwtrekken tussen Amerikanen en Engelsen, de Britse generaal Wavell. De naam Wavell is iedere krantelezer in de Verenigde Staten en Engeland bekend. Hij heeft aanvankelijk het opperbevel in Noord-Afrika gevoerd en is daarna naar Brits-Indië overgeplaatst. Hij krijgt, om precies te zijn op 4 januari 1942, het ABDAcommando in handen. In Londen zijn de Britse Chiefs of Staff eerst fel tegen zijn benoeming gekant. Zij hebben het onprettige gevoel dat de Amerikanen weinig vertrouwen in het verloop van de strijd hebben en een eventuele nederlaag liever een Britse generaal in de schoenen schuiven. Bovendien zou de benoeming van een Amerikaan op deze post wellicht tot gevolg hebben dat meer versterkingen uit de Verenigde Staten worden aangevoerd, hoewel dit natuurlijk weer de opbouw van de strijdkrachten in Engeland zou vertragen. Persoonlijk ingrijpen van Churchill, die het volste vertrouwen in de bedoelingen van Roosevelt heeft, maakt aan alle discussie een einde.

De marine-eenheden in de Zuidwest-Pacific komen onder bevel van de al genoemde Hart, hij wordt ABDAfloat genoemd. Enige voorzichtige Amerikaanse pogingen om hem een onafhankelijk commando te geven, los van Wavell, lopen schipbreuk. Als zijn chef staf wordt de Britse schout-bij-nacht Palliser benoemd. Voor admiraal Helfrich, de opperbevelhebber van de Nederlandse vlootstrijdkrachten in dit gebied, wordt, merkwaardig genoeg, geen officiële plaats in het ABDAfloat commando ingeruimd. Hij mag wel bij de besprekingen aanwezig zijn en houdt uiteraard de leiding van de Nederlandse eenheden. ABDAfloat Hart vestigt zich op de 4de januari met zijn staf in Soerabaja. Wavell arriveert enkele dagen later, op 10 januari, in Batavia. Er is een erewacht op het vliegveld opgesteld, er zijn tal van belangrijke autoriteiten aanwezig en er is een muziekcorps. Dat muziekcorps zal de volksliederen ten gehore brengen. Jammer genoeg klinken wel de Nederlandse en de Engelse hymne op het platvorm onder de felle tropenzon, maar wordt het Star-Spangled Banner per ongeluk vergeten. Amerikaanse opperofficieren op het vliegveld kunnen hun ergernis over deze omissie nauwelijks verhelen ... De volgende dag al kunnen een aantal Nederlandse gezagsdragers, tijdens een lunch ten huize van de Britse consul-generaal, nader met Wavell kennismaken. Het wordt een kennismaking die voor de Nederlanders interessant is maar die niet zo meevalt.

Archibald Wavell is in alle opzichten het type van de correcte Britse officier, een slanke grijzende 58-jarige man in een flatterend tropenuniform. Hij is op en top een gentleman, hoffelijk en altijd kalm. Zijn militaire prestaties in deze oorlog zijn tot nu toe niet bijster indrukwekkend. In Noord-Afrika is hij door de Duitse generaal Rommel tot de terugtocht gedwongen. "He chased me out of Libya." De weinig spraakzame ééénogige – hij verloor een oog op het slagveld van Yperen in de Eerste Wereldoorlog – Brit schijnt daar niet bijzonder van onder de indruk te zijn. Daarna heeft hij korte tijd het opperbevel in Brits-Indië gevoerd.

Sommige Nederlanders krijgen, al tijdens deze eerste kennismaking, het angstige voorgevoel dat de flegmatieke Brit evenmin verwacht lang op Java te zullen blijven . . .

De uitgeweken Amerikaanse marineonderdelen verzamelen zich onder Harts commando in Soerabaja. Dat gaat bepaald niet ongemerkt. "Zij betaalden 5 gulden voor een rit in een taxi, waar de Nederlanders 50 cent voor gaven en ze kochten hun bier uitsluitend per krat." (Pratt).

Daarentegen worden in Batavia op West-Java vooral Britten gezien die uit Singapore binnenkomen. Ook generaal Wavell vestigt aanvankelijk zijn hoofdkwartier in Batavia. Dat hoofdkwartier (in Hotel des Indes) was alleen herkenbaar aan het feit dat er twee Brits-Indische soldaten (Sikhs) voor de deur op wacht stonden. Het gebouw was als camouflage tegen luchtaanvallen vuilgroen geschilderd, evenals trouwens alle andere fraaie witte gebouwen in de omgeving. Later wordt het hoofdkwartier verplaatst naar het bergoord Lembang bij Bandoeng. Hier wordt een aantal paviljoens van het Grand Hotel voor gebruik door Wavell en zijn staf ingericht. Hier ook wordt Wavell op zekere dag bezocht door de altijd actieve Helfrich, die enkele nieuwe actieplannen wil bespreken. De Nederlander treft de staf opgewekt tennissend aan, een demonstratie van een voor hem onbegrijpelijke onverstoorbaarheid . . .

In de loop van januari wordt steeds duidelijker dat de Japanse opmars in Zuidoost-Azië met de regelmaat van een klok voortgaat. De geallieerde posities worden, schijnbaar met het grootste gemak, onder de voet gelopen. Admiraal Hart, de man die in wezen de belangrijkste rol speelt, omdat hij de marinestrijd-krachten in dit zeegebied onder zijn commando heeft, komt steeds meer tot de overtuiging dat er weinig anders opzit dan strijdend op Australië terug te trekken. Hij acht een verdere verdediging van de Britse en de Nederlandse koloniën een verloren zaak en hij is ervoor om, nu dit nog mogelijk is, alle strijdkrachten terug te trekken en deze in Australië te concentreren.

Deze opvatting wordt ook in regeringskringen in Washington bekend en veroorzaakt daar de nodige onrust. Op 24 januari laat president Roosevelt in gesprekken met enkele intimi duidelijk doorschemeren dat hij weinig gelukkig is met de opvattingen van zijn belangrijkste man in het Zuidoostaziatische strijdtoneel. "The

President is disturbed about Admiral Hart and has a feeling that he is too old to carry out adequately the responsibilities that were given him and I fancy before long there will be a change in our naval command in the Far West." (Hopkins). Hart voert sedert twee jaar het commando over de U.S. Asiatic Fleet, die in Manila in de Filippijnen is gestationeerd. Voor de oorlog heeft hij tot die marineofficieren behoord die bij voortduring op het gevaar van de toenemende Japanse militaire macht hebben gewezen. Nu schijnt hem, dat wordt althans gesuggereerd, de nodige offensieve geest te ontbreken.

Het is voor velen, onder wie de bekende Amerikaanse marinehistoricus Samuel Eliot Morison (die na de oorlog de semi-officiële geschiedenis van de strijd in de Pacific schreef), de vraag of deze beoordeling van Hart wel juist is. De lange, slanke, gespierde en gebruinde zestiger Thomas Hart is in Amerikaanse marinekringen niet alleen een populaire, maar ook een gerespecteerde figuur. In zijn opvattingen over de toe te passen strategie staat hij dan ook niet alleen.

Daar komt bij dat het grootste deel van de versterkingen die vanuit de Verenigde Staten naar Zuidoost-Azië worden vervoerd, in Australië aan land wordt gebracht. De angst onder de burgerbevolking van dit continent voor een Japanse invasie is groot en de regering van dit land tracht dan ook alle materiaal, ook dat wat voor Nederlands-Indië bestemd is en dat zelfs al door het Nederlands-Indisch gouvernement is gekocht en betaald, voor Australië vast te houden. Hart komt steeds meer tot de conclusie dat de strijd verder vanuit bases in Australië moet worden gevoerd. Dat heeft als consequentie dat Nederlands-Indië moet worden prijsgegeven. Deze opvatting brengt hem in conflict met zijn collega's – in het bijzonder met zijn Nederlandse collega's – in het hoofdkwartier. De Nederlanders willen Nederlands-Indië, dat zij als een deel van hun vaderland beschouwen, onder geen beding opgeven. Harts houding kan, indien men dat wil en er zijn vele Nederlandse marineofficieren die dat willen, uitgelegd worden als weinig initiatiefrijk. Toch zullen de marinestrijdkrachten nog onder bevel van Thomas Hart een van de totdien meest succesrijke tegenaanvallen op de Japanse invasievloot uitvoeren. Het zal overigens de laatste actie zijn die nog onder zijn verantwoordelijkheid plaatsvindt.

Die aanval wordt volvoerd door een viertal Amerikaanse torpedobootjagers van een volkomen verouderd type. In totaal hebben dertien van deze jagers, die tot de U.S. Asiatic Fleet behoren, aan de zeegevechten in de Indische wateren deelgenomen. De schepen, die 1200 ton meten, behoren tot een type dat aan het eind van de Eerste Wereldoorlog op grote schaal op Amerikaanse werven werd gebouwd. Ze waren bedoeld voor de strijd tegen de Duitse U-boten in de Atlantische Oceaan. In totaal zijn er voor de Amerikaanse marine niet minder dan 268 van deze schepen gebouwd. Hoewel er tegen 1941 al vele zijn afgedankt, is men op dat ogenblik maar al te blij nog een aantal van deze jagers tot zijn beschikking te hebben om de gaten in de verdediging enigermate op te kunnen vullen.

De torpedobootjagers, die laaggebouwd zijn, hebben vier schoorstenen, vandaar dat zij allerwegen als fourstackers worden betiteld. Ze zijn in alle opzichten uit de tijd. Zo beschikken ze uitsluitend over een batterij van vier kanonnen van 10 cm en 27 nauwelijks over enige luchtafweer. De bemanningen van een aantal jagers is het gelukt uit de sloop van andere schepen mitrailleurs te bemachtigen. Deze worden op primitieve stellingen van stalen buizen op het dek opgesteld en geven het gevoel, toch niet meer helemaal machteloos tegen luchtaanvallen te zijn. Het sterke punt van de jagers is hun torpedobewapening: ze beschikken over niet minder dan twaalf lanceerbuizen.

In de nacht van 23 op 24 januari doen vier van deze oude 'blikken bussen' een hit and run aanval op de Japanse invasievloot die voor de Nederlandse oliehaven Balikpapan op Borneo ligt.

Al enkele dagen tevoren hebben geallieerde onderzeeboten en vliegtuigen een groot Japans konvooi ontdekt, dat tussen Borneo en Celebes, in Straat Makassar, naar het zuiden koerst. Het is een invasievloot, bestemd voor de belangrijke oliehaven Balikpapan op de oostkust van Borneo. Voor Japan, arm aan grondstoffen en zeker arm aan aardolieprodukten, is het veroveren van dit oliecentrum van levensbelang. Zonder olie komt de Japanse oorlogsmachine binnen korte tijd stil te liggen.

Niet minder dan 23 troepentransportschepen en vrachtschepen, beschermd door kruisers en jagers, zakken Straat Makassar af, op weg naar de oliehaven. Het is de bedoeling van ABDAfloat om een aanval op deze scheepsconcentratie te ondernemen. Dat moet een nachtelijke hit and run aanval worden door een formatie Amerikaanse kruisers en torpedobootjagers.

Nu wordt een groot deel van het materiaal in een oorlogssituatie niet zozeer door vijandelijke acties vernietigd als wel door allerlei andere omstandigheden, zoals technische mankementen die niet meer op korte termijn te verhelpen zijn, of door ongelukken en dergelijke, buiten gevecht gesteld.

Dat is ook bij de planning van deze aanval het geval. De twee Amerikaanse kruisers die aan de actie deel zullen nemen, raken kort tevoren onklaar: een van de schepen heeft technische problemen met de turbines en de andere loopt op een rif en wordt zwaar beschadigd. Zo blijven uiteindelijk slechts een viertal oude torpedobootjagers beschikbaar, dat is alles wat de U.S. Asiatic Fleet voor haar eerste grote tegenaanval op de Japanse tegenstander aan materiaal bijeen kan brengen. In de middag van de 23ste januari lopen de vier jagers vanuit het zuiden Straat Makassar binnen, op weg naar de kust van Borneo. Het is zwaar, stormachtig weer met donkere wolken en een hoge zee. Watermassa's en schuim slaan over de dekken.

Het is de bedoeling om bij de rede van Balikpapan de torpedo's te lanceren op zo kort mogelijke afstand van de transportvloot, die daar inmiddels voor anker is gegaan.

Omstreeks één uur in de nacht wordt het zeegebied rondom de oliehaven bereikt. De groep jagers jakkert voort met een 27 mijls vaartje, de hoogste snelheid, die uit de bejaarde machines te halen is. Aan wal zijn hoog oplaaiende vlammen te zien. De zwakke Nederlandse strijdkrachten hebben de olie-installaties in brand gestoken en bovendien zijn ze verscheidene malen door de luchtmacht gebombardeerd. In de lucht hangt de stank van brandende olie. Het weer is wat verbeterd, de

schepen stomen voort over een lange deining.

Van het zuiden uit naderen de jagers met hoge snelheid de transportschepen, die op de rede van Balikpapan voor anker liggen. Plotseling bevinden ze zich midden tussen deze Japanse scheepsconcentratie. De silhouetten van de transportvloot zijn tegen de vuurgloed op de wal goed te zien.

De Amerikanen lanceren hun torpedo's. Treffers worden bij deze eerste aanvals-run niet waargenomen. Dan draaien de fourstackers op tegenkoers, in zuidelijke richting gaat het wederom, evenwijdig aan de wal, langs de ankerplaats. Nu wordt een niet te miskennen treffer op een transportschip geplaatst, een 4000-tonner explodeert met een gigantische klap. De luchtdruk slaat de Amerikanen bijna tegen het dek.

Het wordt de Japanners duidelijk dat er iets aan de hand is, maar de tegenstander is niet zo gemakkelijk op te sporen. Een deel van de Japanse jagers licht het anker en spoort op de open zee naar mogelijke onderzeeboten, zonder de laag in het water liggende vierpijpers op te merken. Anderen vuren in de verwarring op elkaar. Kort daarop wordt een tweede transportschip getroffen, het is een 7000-tonner, die na een serie explosies onder de wateroppervlakte verdwijnt. De Japanse schepen vuren in het wilde weg. Ook verschijnen er zoeklichten tegen de nachtelijke hemel en opent het luchtdoelgeschut het vuur: de verwarring is enorm.

Dan stomen de jagers nogmaals in noordelijke richting langs de ankerplaats, daar-bij worden waarschijnlijk nog een transportschip en een torpedojager vernietigd. Op het wateroppervlak, waarin de vlammen van de oliebranden aan wal spiege-len, zijn drenkelingen in zwemvesten te zien, een reddingsboot slaat om door de hekgolf van de Amerikaanse jagers. Hierna verlaten de fourstackers, zonder scha-de te hebben opgelopen, het gevechtsterrein. De aanval is een groot succes. Einde-lijk kan het Amerikaanse publiek eens iets over een geallieerde overwinning in de kranten lezen: dat geeft nieuwe moed. Bovendien weten historiekenners te melden dat dit de eerste 'zeeslag' is waarin de Verenigde Staten sinds 1898, de oorlog in Cuba, betrokken zijn!

Maar, ondanks dit succes heeft de opperbevelhebber van de Nederlandse vloot, vice-admiraal Helfrich, heel wat kritiek op de leiding die door zijn Amerikaanse collega aan de geallieerde vloot gegeven wordt. Hij vindt dit ene wapenfeit verre van voldoende en hij hamert op een voortzetting van dergelijke offensieve acties. Conrad Emil Helfrich is geboren en getogen in Semarang, op Java. Hij voert al jaren het bevel over de Nederlandse zeestrijdkrachten in de Indische wateren. Indië is hem – zoals dit bij vele andere Nederlanders het geval is – tot een tweede vaderland geworden. In de loop der jaren heeft hij de wateren rondom Java gron-dig bestudeerd, tot hij iedere verborgen baai of inham waar een schip ligging kan kiezen, heeft leren kennen. En van iedere ankerplaats weet hij of er ooit 'vissers-schepen' uit Nippon zijn gesignaleerd – zodat hij aan kan nemen dat de lokatie ervan aan de Keizerlijke Japanse Marine bekend is. Hij heeft zijn kleine eskader zo goed mogelijk geoefend voor de strijd – zowel bij dag als bij nacht – in de smalle rotsachtige en gevaarlijke waterwegen en zeestraten rondom het eiland.

Helfrich is een korte, stevig gebouwde, kalende man. Hij heeft de kaak en het uiterlijk van een stevige bulldog – zo kan men in de verslagen van de Amerikaanse   29 oorlogscorrespondenten lezen. Zijn karakter komt met zijn uiterlijk wonderwel overeen. Hij is een ongecompliceerde 'fighting seadog'.

Uit de berichten van de Amerikaanse oorlogscorrespondenten op Java wordt ook bekend dat hij tijdens iedere conferentie in het geallieerde hoofdkwartier met de vuist op tafel bonkt. Dan eist hij van de geallieerden een sterk eskader van zware kruisers, om daarmee in de aanval te kunnen gaan. Van een terugtrekken van de vlooteenheden op Australië – waar de Amerikanen en uiteraard ook de Australiërs steeds meer voor gaan voelen – wil hij niet horen. Hij verlangt van zijn bondgenoten dat ze, zoals ze beloofd hebben, Java zullen verdedigen en dat zij daarvoor de middelen, in casu vliegtuigen en schepen, ter beschikking zullen stellen. In plaats van terugtrekken wil hij met het eskader de zee op om op de 'Japs' te jagen. En daar wil hij niet mee wachten tot de 'Japs' met hun strijdkrachten het eiland Java naderen. Hij had ze al willen aanvallen op het moment waarop ze de archipel binnendrongen.

Het is duidelijk dat de matte houding van Hart hem irriteert. Een strategie die op een terugtocht naar Australië is gebaseerd, is voor hem volkomen onacceptabel. Hij vind dat het Hart aan fighting spirit ontbreekt en hij zegt dat ook heel duidelijk.

Hij acht zijn Amerikaanse collega totaal ongeschikt om het bevel te voeren over een vloot die met kleine eenheden in de nauwe en ondiepe zeestraten van de Indische archipel moet opereren. Hart is gewend om met grotere eenheden te werken, hij ziet het belang van operaties op kleine schaal niet in. Hij is, aldus Helfrich, uitsluitend een man van de 'Grand Fleet' en kan alleen maar denken in termen van slagschepen, vliegdekschepen, zware kruisers, enzovoorts. Verder is hij, zo vindt de Nederlandse admiraal, zo defensief ingesteld dat het welhaast op defaitisme lijkt.

Helfrich steekt zijn mening over Hart bepaald niet onder stoelen of banken. De Amerikaanse marineofficieren in het hoofdkwartier van ABDAfloat zijn een heel andere mening toegedaan. Zij vinden Helfrich een te zelfverzekerde figuur. Ook hebben ze weinig vertrouwen in zijn optimistische visie op de kansen die de geallieerden in de Indische archipel nog hebben en in zijn voortdurend gehamer op de grote mogelijkheden van de hit and run tactiek met kleine eenheden. Verder hebben ze het vermoeden, dat het feit dat Helfrich zelf niet in een belangrijke bevelsfunctie in het hoofdkwartier is opgenomen, hem minder oprecht en loyaal tegenover dit opperbevel maakt. Admiraal Hart heeft bovendien de indruk, dat alle plannen die in dat hoofdkwartier besproken worden, spoedig daarop in brede Nederlandse kringen bekend worden. Dat brengt hem ertoe zich bij de stafbesprekingen met zijn geallieerden zwijgzaam en terughoudend op te stellen. Het wordt steeds duidelijker, dat er in de geallieerde top op Java sterke, persoonlijke animositeiten bestaan en dat er daarnaast ook nog grote verschillen van mening over de te volgen strategie en tactiek zijn. Deze onderlinge spanningen kunnen een wezenlijke invloed op het verloop van de strijd krijgen. Voorlopig lijken de feiten Helfrich gelijk te geven. Zo is de nachtelijke raid op de Japanse transportschepen bij Balikpapan mede onder zijn voortdurende aandrang om aan te vallen uitgevoerd. Ook

30   de successen van de Nederlandse onderzeeboten in de Zuidwest-Pacific spreken

voor hem. De kleine Nederlandse vloot brengt met de regelmaat van een klok Japanse schepen tot zinken. Helfrich krijgt in de Amerikaanse pers de bijnaam Ship-A-Day Helfrich. De lichtkranten op Times Square in New York verkondigen met grote letters zijn overwinningen. En zo lijkt hij in deze bange dagen de enige te zijn die misschien nog een kans ziet de Japanners een halt toe te roepen.

Onder de Nederlandse burgers op Java is weinig bekend over de grote verschillen van mening in het ABDA hoofdkwartier. Wel weet een ieder, al durft hij dat misschien nauwelijks te bekennen, dat de militaire toestand hollend achteruit gaat.

Vooral de snelle terugtocht van de Amerikanen op de Filippijnen (met uitzondering van het schiereiland Bataan) maakt een slechte indruk. Aanvankelijk worden de op Java arriverende Amerikanen dan ook met veel wantrouwen bekeken. De Nederlanders zijn uiterst beleefd, maar daar blijft het bij.

Eerst in scherts, dan in ernst, krijgen de Amerikanen – als ze van het uitstekende gekoelde bier zitten te genieten – de nodige verwijten te horen: jullie zijn weggelopen en hebben jullie mensen aan hun lot overgelaten. Er zijn Amerikaanse matrozen, die onder een borrel de Nederlanders met enige bravoure verkondigen dat zij gekomen zijn om hen te beschermen. Dat is een opvatting die bij de Nederlandse marinemensen slecht valt. Het loopt uit op een paar fikse vechtpartijen. De daders moeten op het strafrapport verschijnen, op zichzelf al een onmogelijke zaak op een moment waarop geen man gemist kan worden.

Als Wavell zijn hoofdkwartier op Java vestigt, geeft dat de Nederlandse burgers en militairen nieuwe moed. Zie je wel, menen sommigen, Java wordt niet opgegeven. Dat doen ze niet als ze daar een hoofdkwartier gaan inrichten. In Batavia, Soerabaja en Bandoeng verschijnen hoge officieren in indrukwekkende uniformen op ontvangsten en partijen. Ze tonen een benijdenswaardig zelfvertrouwen en vinden nog tijd om in volle gemoedsrust uitgebreide cocktailparties te organiseren.

Na de actie van de Amerikaanse torpedobootjagers in de nacht van 24 januari bij Balikpapan, waarbij een aantal Japanse transportschepen wordt getorpedeerd, slaat de stemming volledig om: eindelijk een grote overwinning. Er worden ontvangsten en feesten georganiseerd, thuis, in sociëteiten en in hotels. De overvloedig vloeiende alcohol houdt er de goede stemming in. "De Nederlanders nodigden een ieder ten eten – maaltijden die urenlang duurden en waarbij jenever uit stenen kruiken gedronken werd." (Pratt).

Inmiddels gaat de strijd voort: de Japanners rukken op. Het schiereiland Malakka wordt in een verbijsterend hoog tempo bezet, terwijl ook de havens en vliegvelden op Borneo en Celebes achter elkaar in hun handen vallen. Een incidenteel succes, zoals bij Balikpapan bereikt, verandert daar weinig aan.

Steeds duidelijker grijnst de verschrikkelijke waarheid de Nederlanders op Java in het gelaat. De aanwijzingen dat de Amerikanen niet van plan zijn nog meer materiaal en mensen aan de verdediging van de Nederlandse kolonie te spenderen, stapelen zich op. Tot nu toe hebben velen gedacht dat er uitsluitend gestreden is   31 om tijd te winnen, kostbare tijd, juist lang genoeg om de U.S. Pacific Fleet de kans te geven naar de Indische wateren op te stomen, om daar de Japanners terug te slaan. Maar dat visioen van een te hulp snellende Amerikaanse slagvloot is een droom.

Dat wordt op de 1ste februari duidelijk. Uit de nieuwsberichten van die dag blijkt dat bommenwerpers van de Amerikaanse marine luchtaanvallen hebben uitgevoerd op militaire installaties op de eilanden van de Gilbert en Marshall archipel. Met het uitbouwen van de bases op deze eilanden zou de verbindingsweg van Hawaii met Australië voor de geallieerden kunnen worden geblokkeerd. De Marshall eilanden zijn al Japans mandaatgebied sinds 1918 en de Gilbert archipel is Brits en in december zonder slag of stoot door de Japanners bezet.

De Amerikaanse bommenwerpers weten in een verrassende aanval een groot deel van het moeizaam over duizenden mijlen aangevoerde militaire materiaal op deze koraaleilanden te vernietigen, hetgeen de Japanse plannen behoorlijk in de war stuurt.

De Amerikaanse toestellen blijken afkomstig te zijn van een Task Force, opgebouwd uit vliegdekschepen, kruisers en torpedobootjagers. Een soortgelijke Japanse macht heeft in december Pearl Harbor aangevallen en daarmee een nieuwe vorm van oorlogvoering ter zee geïntroduceerd. Zware kruisers, van het type dat in de haven van Pearl Harbor verloren is gegaan, spelen bij deze Task Forces geen rol van betekenis meer. Hun rol is door het vliegtuig overgenomen.

Het wordt de Nederlanders na de berichten over deze actie duidelijk, dat de Amerikanen niet van plan zijn deze Task Force, het enige wapen dat zij hebben om de Japanse opmars in de Pacific tot stilstand te brengen, in de Indische wateren in te zetten. Men acht de risico's te zwaar: het Japanse overwicht in de lucht is in dit gebied te groot.

De U.S. Pacific Fleet zal nimmer naar Nederlands-Indië opstomen, maar in de zeegebieden rondom de vlootbasis op Hawaii blijven opereren. En de Nederlanders op Java zullen zichzelf moeten redden met de schepen die in de archipel aanwezig zijn en met het weinige militaire materiaal dat op Java nog binnendruppelt.

De Brewster F-2a-F Buffalo
eenpersoonsjager van de
Nederlands-Indische
luchtmacht.
Maximumsnelheid
circa 490 km/u.

Juli 1935. Ir. Anton Mussert, de leider van de N.S.B., na zijn aankomst te Soerabaja.

De Boeing B 17 Flying Fortress. Afgebeeld is een van de eerste uitvoeringen van dit toestel, nog zonder mitrailleurkoepel in de staart.

De Zerojager, in alle opzichten volkomen superieur aan de Brewster Buffalo.

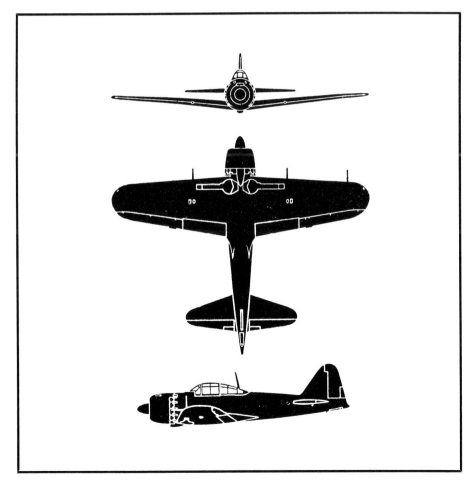

Pearl Harbor, 7 december 1941. De brandende slagschepen 'West Virginia' en 'Tennessee'.

De Amerikaanse fourstacker 'Paul Jones'.

Luchtaanvallen

Op de 2de februari wordt op een stafvergadering in Bandoeng, bijeen geroepen door Hart, besloten de nog beschikbare oorlogsbodems te concentreren in een internationale strijdmacht, de Combined Striking Force. Het eskader komt onder bevel van de Nederlandse schout-bij-nacht Doorman.

De dag na dit besluit vindt de eerste Japanse luchtaanval op de vlootbasis Soerabaja plaats.

Op dat moment verzamelt een aantal schepen van het geallieerd eskader zich juist in het zeegebied even benoorden Bali. In de ochtenduren vliegt een eskader van dertig bommenwerpers over, de eerste aanvalsgolf op weg naar de marinebasis. Enkele toestellen cirkelen boven het eskader, waar onmiddellijk alarm wordt geslagen, terwijl de schepen zich verspreiden. Na enkele minuten vliegen de machines echter door. Het is de geallieerden bekend dat de Japanners een zestigtal bommenwerpers hebben geconcentreerd op de door hen veroverde luchtmachtbasis Kendari op Celebes. Het gaat om toestellen afkomstig van de vliegdekschepen Soryu en Hiryu, die tijdelijk op deze strategisch gelegen basis zijn geconcentreerd. Hoewel de geallieerde vloot op deze 3de februari niet wordt aangevallen is de positie ervan nu wel aan het Japanse opperbevel bekend. De kans op een bomaanval is daarmee levensgroot.

De volgende morgen wil Doorman, ondanks dit risico, met zijn eskader Straat Makassar, tussen de eilanden Borneo en Celebes binnenstomen, in de hoop op een Japanse transportvloot te stuiten, welke daar al op 1 februari door geallieerde verkenningsvliegtuigen is gesignaleerd.

Die transportschepen verzamelen zich, volgens de beschikbare gegevens, bij de vroegere Nederlandse oliehaven Balikpapan, op de oostkust van Borneo. De bedoeling is niet moeilijk te raden: als volgende stap zullen Makassar op Celebes en Bandjermassin op Borneo bezet worden. Daarmee zullen alle belangrijke bases op deze eilanden bezet zijn, zodat dan alle aandacht op Java kan worden geconcentreerd. Een aanval op de Japanse speerpunt bij Balikpapan is dus van het grootste belang om deze plannen te doorkruisen.

Aanvankelijk varen de vier kruisers, die het geallieerde eskader telt in kiellinie   33 achter elkaar: eerst het vlaggeschip van het Nederlands-Indisch eskader, de lichte kruiser 'De Ruyter', dan de Amerikaanse kruisers 'Houston' en 'Marblehead' en tenslotte de Nederlandse lichte kruiser 'Tromp'. Voor hen uit varen, als een beveiligend scherm, vier Amerikaanse fourstackers. Drie Nederlandse jagers, de 'Banckert', 'Piet Hein' en 'Van Ghent' dekken het vlooteskader in de rug.

Om half tien in de morgen krijgt Doorman, aan boord van de 'De Ruyter', bericht uit Makassar. Daar heeft de luchtwacht vanaf de grond hoog vliegende Japanse bommenwerperformaties waargenomen, vliegend in de richting van het zeegebied benoorden Bali.

Tegen tien uur doemen ze in de verte op, zwarte stippen in de heldere lucht. Ze worden snel groter en als ze het eskader naderen, blijkt het te gaan om zes escadrilles van elk negen machines. De schepen van het geallieerd eskader verspreiden zich. Ze hebben bewegingsruimte nodig, hun zwakke luchtafweer alleen is zeker niet voldoende.

De situatie is uiterst gevaarlijk, dat is duidelijk: een ieder aan boord kent het lot van de 'Prince of Wales' en de 'Repulse' bij een soortgelijke aanval, nu alweer bijna twee maanden geleden.

Begin december waren ze de haven van Singapore binnengelopen, twee kapitale schepen, de trots van de Royal Navy. Ze behoorden tot de grootste oorlogsbodems, die de wereld kende, de 'Prince of Wales' mat 35.000 ton en de 'Repulse' 32.000 ton. Een zucht van verademing was door de blanke bevolking in het Verre Oosten gegaan. Deze slagschepen zouden – zo meldde de pers – de kern vormen van een krachtig Brits eskader, dat de dreigende opmars van de Japanners in dit gebied moest stuiten. Helaas was het de Britse Admiraliteit niet mogelijk gebleken om terzelfdertijd ook enkele vliegdekschepen naar Singapore te dirigeren . . .

In de eerste dagen van december, nog voor de overval op Pearl Harbor, waren er al concentraties van Japanse transportschepen gesignaleerd nabij de kust van Indo-China en het noorden van Malakka. De bedoeling daarvan was aanvankelijk niet duidelijk tot, na de aanval op de Amerikaanse marinebasis, de schepen troepen op de kust van Noord-Malakka begonnen af te zetten. Al snel was de landingsoperatie in volle gang. De twee Britse slagschepen voeren, zonder enige protectie vanuit de lucht, uit met de bedoeling de transportschepen in een snelle actie te vernietigen. Maar het zou zover niet komen.

Op 9 december werd het smaldeel onder de kust van Malakka door Japanse verkenningsvliegtuigen ontdekt. De aanval kwam enkele uren later, zowel van hoogvliegende bommenwerpers, als van laag over het water scherende torpedovliegtuigen. De schepen hadden een niet al te sterke luchtafweer, zodat er maar één mogelijkheid was: door bliksemsnel manoeuvreren trachten zowel de bommen als torpedo's te ontwijken.

Na ongeveer anderhalf uur kwam de genadeslag. Beide slagschepen liepen treffers op, de mogelijkheid om snel te manoeuvreren nam af en de 'Prince of Wales' en de 'Repulse' gingen verloren onder een hagel van bom- en torpedotreffers. Op dat moment verschenen er voor het eerst enkele Britse jachtvliegtuigen boven het strijdtoneel . . .

34   Deze catastrofe is de bemanning van Doormans eskader maar al te goed bekend.

De Japanse toestellen bombarderen het geallieerde eskader van een hoogte van circa 5000 meter. Het is helder en onbewolkt weer, de zee is spiegelglad en glinstert in de tropenzon. In het zuiden zijn, vanaf de schepen, de donkergroene bergtoppen van de eilanden Bali en Lombok te zien. Het felle zonlicht maakt het nauwkeurig waarnemen van de bommenwerpers niet gemakkelijk. En toch is dat uitermate belangrijk, want, juist op het moment waarop een toestel zijn bommen gelost heeft, moet scherp van koers veranderd worden om deze dodelijke lading te ontwijken.

Telkens, als er een nieuwe aanval wordt ingezet, manoeuvreren de oorlogsbodems, die op grote afstand van elkaar varen, als razenden. Het schaars aanwezige luchtdoelgeschut ratelt onafgebroken.

De tweemotorige toestellen zijn bommenwerpers van de Japanse Marine, van het type Mitsubishi G3M2. Deze machines krijgen later in de Pacific-oorlog van de Amerikaanse Marine de codenaam Nell.

Ze vallen in verschillende golven aan.

De eerste aanvalsgolf van negen toestellen heeft het op de voorste twee schepen van de kruiserlinie gemunt, de 'De Ruyter' en de 'Houston'. De 'De Ruyter' loopt bij deze aanval geen enkele treffer op, maar de rondvliegende bomsplinters van de near misses beschadigen wel de vuurleiding van het luchtdoelgeschut, een ernstige handicap bij het bedienen van deze kanonnen.

De aanvalsgolven, telkens van negen toestellen, volgen elkaar in snel tempo op. De tweede en ook de derde aanval kunnen door alle geallieerde schepen worden ontweken.

Bij de vierde aanvalsgolf, die op de 'Marblehead' gericht is, krijgt dit schip een voltreffer te verwerken. Deze bomtreffer vernietigt een aantal stoomleidingen, en vernielt de stuurinrichting. Daardoor komt het roer vast te zitten, waardoor de 'Marblehead' in cirkels gaat ronddraaien. Er breekt een zware brand uit en een aantal manschappen dat de taak had voor de aanvoer van munitie te zorgen, is gedood of zwaar gewond. Een van die manschappen, de Chinese kok Fook Liang, is zelf ook gewond, maar weet ondanks zijn verwondingen nog een aantal zwaargewonden uit de vlammen te sleuren. Dan treft een tweede bom de kruiser, vervolgens een derde, die daar vlak naast inslaat. Elke volgende treffer zal het einde van de 'Marblehead' betekenen, maar die laatste treffer komt niet . . .

De Japanse bommenwerpers concentreren vervolgens hun aandacht op de 'Houston', de andere Amerikaanse kruiser, die van Doormans formatie deel uitmaakt. Het is een van de bekendste schepen van de Amerikaanse Marine.

De 'Houston' dateert van 1929. Toen werd het schip, midden in een tijdperk waarin ontwapening nog als belangrijkste voorwaarde ter voorkoming van volgende oorlogen werd gezien, tewater gelaten.

Voor die tewaterlating in Norfolk, Virginia, op de 7de september bestond dan ook bij publiek en pers weinig belangstelling. Toch was het een wat bijzondere plechtigheid: de tewaterlating kon niet, zoals gebruikelijk, gepaard gaan met een doop door een fles champagne. Dat was in het 'drooggelegde' Amerika van die dagen bij de wet verboden. De plaats van de champagne werd daarom door een fles zeewater ingenomen.

In juni 1930 werd het schip aan de Amerikaanse Marine overgedragen en officieel in dienst gesteld.

De 'Houston' is een lang en slank gebouwd schip, dat door zijn lijn een behoorlijke snelheid (32 zeemijlen) kan halen. Negen kanonnen van 20 cm geven de oorlogs-bodem, die tot de klasse van de zware kruisers behoort, een flinke vuurkracht. Dit zware geschut is in drie drielingstorens opgesteld.

Bij president Roosevelt, die de zeevaart altijd een warm hart heeft toegedragen, staat de 'Houston' in hoog aanzien. Hij heeft in de jaren dertig een viertal 'salt water cruises' op het fraaie en comfortabele schip meegemaakt in een speciaal voor hem ontworpen en gebouwde luxe cabine, de admiraalshut geheten.

Daarna vertrok de kruiser naar het Verre Oosten om deel te gaan uitmaken van de U.S. Asiatic Fleet, die in de Filippijnen is gestationeerd. De huidige commandant, kapitein ter zee Albert H. Rooks heeft in de zomer van 1941 het bevel over het schip overgenomen. Rooks is populair bij zijn mannen, evenals trouwens zijn eerste officier David W. Roberts. De 'Houston' is een gelukkig schip, de stemming aan boord is goed, want ieder lid van de uitstekend getrainde bemanning (1064 koppen) weet, dat de kruiser als vechtmachine in een prima staat is. Wel zijn er helaas enkele noodzakelijke verbeteringen in de vuurleiding nog niet uitgevoerd en bovendien is het schip lange tijd niet in dok geweest. Dat was ook niet mogelijk want de 'Houston' heeft gedurende de laatste jaren vér van iedere goed uitgeruste marinebasis in de Verenigde Staten dienst gedaan. Om dezelfde reden is het lucht-doelgeschut nog niet van het laatste type.

Ook de 'Houston' tracht door razend snel uitgevoerde manoeuvres een treffer te ontwijken. Tonnen water, opgeworpen door near misses, spoelen over de dekken en slaan de mannen van de been. Het schip schudt en trilt in alle voegen, leidingen springen los of beginnen te lekken.

Het lukt, al in het begin van de aanval, een Japanse bommenwerper neer te schieten. Het neerstortende toestel probeert nog zich op het dek van de kruiser te storten, zodat nogmaals het vuur op de machine moet worden geopend.

Twee uur lang weet de 'Houston', met Rooks op de brug, de bommenregen te ontwijken. Dan loopt het schip een volkomen toevallige treffer op, veroorzaakt door een in het wilde weg geworpen 500-ponder. De bom slaat in bij de hoofdmast en ontploft juist voor geschutstoren 3, op het achterdek.

De 20 cm kanonnen zijn geladen, de kardoezen zijn in de liften. De bom slaat door het dunne pantser van de geschutstoren en brengt bij zijn explosie de gereedstaan-de munitie in de toren en in de magazijnen daaronder tot ontploffing. In dat ogenblik sterven 48 mannen, velen worden zwaar gewond. Er breken hevige bran-den uit, die slechts met een uiterste krachtsinspanning onder controle te krijgen zijn.

De zware schade aan de 'Marblehead' en de 'Houston' maakt het Doorman duidelijk dat verder doorstoten in de zeestraat tussen Borneo en Celebes volslagen zinloos is en tot de vernietiging van zijn eskader zal leiden. Hij meldt Hart dat hij de voorgenomen aanval moet afbreken – zonder bescherming door de luchtmacht zijn dergelijke plannen onuitvoerbaar. Zelfs terugkeer naar Soerabaja is niet zonder groot risico: de haven ligt onder voortdurende luchtverkenning en het aantal bombardementen neemt toe.

Het geallieerd eskader trekt zich daarom op bevel van Doorman terug. Door de zeestraten tussen de eilanden Bali, Lombok en Soembawa bereikt men de Indische Oceaan.

Vooral de 'Marblehead' is er ernstig aan toe. Het schip maakt zoveel water dat de bemanning een ketting moet vormen om met emmers te hozen. Verder brandt de kruiser op twee plaatsen. Het sturen moet gebeuren door middel van de schroeven. Tenslotte lopen de 'Marblehead' en de 'Houston' de Zuidjavaanse haven Tjilatjap binnen, de enige ankerplaats in de archipel die nog enigermate veilig is voor lucht-aanvallen.

Eerst worden hier de doden en de zwaargewonden van boord gebracht. Zwijgend en met strakke gezichten kijkt de Indonesische bevolking toe. De scheepskapel van de 'Houston' speelt treurmuziek, terwijl de gesneuvelden op het kleine Neder-landse kerkhof worden bijgezet.

Repareren van de 'Marblehead' in Tjilatjap is niet mogelijk, het dok is daarvoor niet groot genoeg. Een gat in de bodem van het schip wordt daarom provisorisch gedicht en het roer wordt zo goed mogelijk hersteld. Na een week verlaat de 'Mar-blehead' de kleine stinkende haven (zoals een van de opvarenden het noemt). Via Ceylon en Zuid-Afrika weet het schip uiteindelijk de Verenigde Staten te berei-ken.

De 'Houston' blijft bij het geallieerde eskader, hoewel de achterste geschutstoren niet gerepareerd kan worden. Daartoe ontbreken de technische mogelijkheden. Zo is de kruiser een belangrijk deel van zijn gevechtswaarde kwijt.

Hart legt zijn functie neer

Na de bomaanval op zijn eskader is Doorman ervan doordrongen dat de totale uitschakeling van de geallieerde vlootstrijdkrachten door de Japanse suprematie in de lucht nog slechts een kwestie van tijd is. Zonder bescherming van geallieerde jagers is hij vrijwel machteloos. De Striking Force trekt zich daarom op zijn bevel verder terug in de Indische Oceaan, bezuiden de archipel. Radio Tokio meldt dat drie kruisers tot zinken zijn gebracht en wel, zo heet het, een van de Java klasse, de Tromp klasse en de Augusta klasse. Hiermee, aldus de opgetogen militaire commentator van Radio Tokio, is de geallieerde vloot in de Indische wateren grotendeels vernietigd.

Hoewel de geallieerde verliezen niet zo zwaar zijn als de Japanse piloten wel menen, zijn zij toch ernstig genoeg. Als gevolg ervan ontstaan er nieuwe spanningen tussen de geallieerden, deze keer tussen Hart en Doorman.

Karel W.F.M. Doorman is tweeënvijftig jaar oud. Hoewel hij als marineofficier is opgeleid heeft hij van jongs af veel belangstelling voor de militaire luchtvaart gehad. In 1914 kwam de toenmalige luitenant ter zee tweede klasse op Soesterberg in opleiding voor vlieger. Daar stond de wat gezette zeeofficier onder zijn collega's bekend als 'de Tank'. Later werd hij de eerste commandant van het marinevliegkamp De Mok op Tessel. Van de enorme waarde van luchtverkenning en van luchtsteun voor de vloot is Doorman al jaren overtuigd.

De luchtaanvallen op zijn eskader en de desastreuze gevolgen daarvan maken hem in toenemende mate beducht voor de veiligheid van de nog resterende schepen. Daarom besluit hij om zich voorlopig in de Indische Oceaan, in het zeegebied ten zuiden van de archipel terug te trekken.

Over de juiste positie van zijn eskader op de 5de, 6de en 7de februari bestaat geen volledige duidelijkheid. Zeker is dat Doorman zich ergens in de Indische Oceaan bevindt, waar enkele tankers liggen om de vloot van een nieuwe olievoorraad te voorzien. Het meningsverschil tussen Hart en zijn eskadercommandant spitst zich toe op de vraag waar dit olieladen precies moet plaatsvinden. Doorman heeft, uit veiligheidsoverwegingen, gekozen voor een rendez-vous op een lokatie vrij diep in de Indische Oceaan. Hart vindt dat volkomen onjuist: hij wenst dat Doorman een positie kiest die heel wat dichter onder Java's zuidkust ligt. Dat bespaart zowel tijd als brandstof. Hart, een man die – dat is bekend – snel geïrriteerd raakt en die in deze dagen zelf, evenals Doorman, aan grote spanningen blootstaat, vindt zijn eskadercommandant veel te behoedzaam. Hij buit de nog bestaande mogelijkheden niet genoeg uit, aldus de Amerikaan.

De meningsverschillen lopen zo hoog op dat Hart overweegt Doorman door een ander te vervangen. Alleen de gedachte aan de geweldige repercussie die dit aan Nederlandse zijde zal veroorzaken, weerhoudt hem hiervan. Uiteindelijk geeft hij Doorman het uitdrukkelijke bevel uit de Indische Oceaan terug te keren naar Tjilatjap.

Daar ontmoet Hart, die hiervoor uit Bandoeng is komen vliegen, zijn eskadercommandant op zondag, de 8ste februari. Van de inhoud van hun gesprek is nimmer een verslag bekend gemaakt. Helfrich, toch Doormans directe superieur in de Nederlandse Marine, weet zelfs niet dat er een dergelijk gesprek plaatsvindt. "Anders was ik zeker meegegaan", schrijft hij later.

De haven van Tjilatjap is in deze februaridagen tjokvol. Het is de enige haven van behoorlijke capaciteit aan de zuidkust van Java. De Japanse bombardementen op de noordelijke havens Tandjong Priok en Soerabaja maken Tjilatjap tot een steeds belangrijker aanloopplaats. Maar de havenfaciliteiten zijn daar in het geheel niet op berekend. Aan alle boeien liggen schepen en er kan alleen uit lichters worden gelost. De walorganisatie zakt in elkaar en er ontstaat een chaotische toestand. Tal van vrachtschepen die op weg waren naar Singapore en die dit door de snelle ontwikkeling van de gebeurtenissen niet meer kunnen bereiken, laden hun vracht hier maar uit. De geloste goederen hopen zich op de kaden op, zonder dat er blijkbaar iemand meer naar omkijkt.

Zo stapelt een vrachtschip een lading ijsgekoeld fruit, aanvankelijk bestemd voor de luxe restaurants en hotels van de Britse kroonkolonie, op de kade. Maar deze lading blijft, bij uitzondering, niet lang liggen: binnen enkele uren halen de mannen van Doormans eskader de kisten met gekoelde druiven, appels en sinaasappels op en verdelen het fruit over de schepen.

Enkele dagen na zijn laatste gesprek met Doorman, op 12 februari, verlaat Hart definitief zijn post: hij is naar de Verenigde Staten teruggeroepen. Volgens de officiële mededeling is dat uitsluitend vanwege zijn slechte gezondheidstoestand. Op de Amerikaanse oorlogsbodems in Tjilatjap, waar Hart, 'Tommy Hart', nog kort tevoren ondanks zijn vierenzestig jaar gezond, gebruind en levendig een inspectie heeft gehouden, maakt dat een hoogst ongelukkige indruk.

Zijn opvolger als ABDAfloat wordt Ship-A-Day Helfrich. Nu krijgt hij – hoewel rijkelijk laat – de gelegenheid zijn ideeën over de juiste aanpak van de strijd in de archipel in praktijk te brengen.

Soerabaja, februari 1942

Op 3 februari doen Japanse bommenwerpers voor de eerste maal een aanval op Java. Bij Soerabaja worden het marinevliegkamp Morokrembangan en het burgervliegveld gebombardeerd.

Op 5, 7, 8, 10 en 11 februari volgen nieuwe zware bombardementen. Dan valt er een pauze van een week. In die tussentijd vindt, op de 16de, een aanval plaats op het geallieerde hoofdkwartier bij Bandoeng. Iwan Smirnoff, een KLM vlieger van grote reputatie door zijn prestaties tijdens de Kerstvlucht van de Pelikaan in 1933, is ooggetuige van dat bombardement.

,,Het uitbundige licht van de zon kaatste af op witte huizen en uit de lucht moet het hele gebied zichtbaar zijn als ware het een ideale landkaart. De gillende sirenes herinnerden plotseling ieder, die in de vredige stilte de ernst van de toestand een ogenblik had kunnen vergeten aan het nijpende gevaar. Daar verschijnen, als stippen, de vijandelijke machines in het luchtruim: twaalf Japanse bommenwerpers, geëscorteerd door twaalf jagers komen in pijlsnelle vaart aangestoven. Onze jagers, vier in getal, stijgen op . . . De een na den ander wordt door een overmachtige vijand neergeschoten. Intussen bestoken de bommenwerpers van zeer geringe hoogte het vliegveld Andir. De afweer . . . zwijgt. De Japanse jagers laten het hierbij niet. Spoedig verschijnen ze boven Lembang en er is weinig fantasie voor nodig om te begrijpen wat het doelwit van deze aanval vormt: het berghotel waar generaal Wavell's hoofdkwartier is gevestigd. De gevolgen van de beschieting met de boordwapens zijn rampzalig. Binnen enkele minuten staat het gehele complex van paviljoentjes in lichterlaaie en het brandt tot de grond af.''

Twee dagen later, op 18 februari krijgt de marinehaven van Soerabaja weer alle aandacht van de Japanners. Door de luchtgevechten met de Zerojagers, die de bommenwerpers begeleiden, wordt de Nederlandse luchtmacht binnen enkele dagen vrijwel geëlimineerd, zodat al spoedig in de lucht geen weerstand kan worden geboden. Luchtafweergeschut is praktisch niet voorhanden.

Hoewel de stad Soerabaja zelf betrekkelijk weinig te lijden heeft brengen de aanvallen een geweldige slag toe aan het moreel van de bevolking. In het Marine Etablissement van de havenstad, de Nederlandse marinebasis, werken 18.000 mensen. Het merendeel daarvan bestaat uit Indonesiërs, nauwelijks drie procent is van Europese afkomst. Er begint een massale uittocht. Duizenden Indonesische arbeiders en hun gezinnen trekken met hun schamele bezittingen de stad uit. Hierdoor raken de reparatiewerf, het droogdok en de vemen zonder arbeidskrachten. De eindeloze stroom mensen, die vanuit de omliggende kampongs iedere morgen om 6 uur de werven binnenstroomde, houdt plotseling op. En dat is te begrijpen: bij een van de eerste aanvallen wordt een wagon van de Madoera-tram geraakt. Onder de tram lag een groot aantal Madoerezen in dekking. Niet minder dan vijf en dertig mensen vinden de dood . . .

Door de vlucht van de Indonesische arbeiders en door de verwoestingen die door de bombardementen worden aangericht, wordt Soerabaja al zeer snel als marinebasis uitgeschakeld. De normale havenfaciliteiten bij laden, lossen enzovoorts vallen volledig weg. De taak van de Indonesische havenarbeiders bij het bevoorraden en bunkeren van de schepen wordt, zo goed en zo kwaad mogelijk, door de bemanningen zelf overgenomen, waarbij de nodige slachtoffers vallen. Ook worden tijdens de bombardementen enkele schepen getroffen. Zo wordt op 18 februari in de haven het oude pantserschip 'Soerabaja' geraakt. De 'Soerabaja' is eigenlijk de beruchte 'Zeven Provinciën', het schip waarop in de jaren dertig een revolte plaatsvond. Het oude pantserschip krijgt, liggend in het bassin van het Marine Etablissement, een voltreffer door de schoorsteen die het binnen een paar minuten tot zinken brengt. Door de geringe diepte van het water ter plaatse komt het dek nauwelijks onder water te staan. Ook de onderzeeboot K 7, die tijdens het luchtalarm onder water is gegaan, wordt tijdens dit zelfde bombardement getroffen. Van dit schip kunnen de ingesloten bemanningsleden niet meer worden gered.

In de volgende week worden de luchtaanvallen met een dodelijke regelmaat voortgezet. Meestal vliegen de Japanse bommenwerpers hierbij zo hoog dat het aanwezige geschut de toestellen niet eens kan bereiken. Alleen de kruiser 'Houston' kan, wanneer het schip in de haven aanwezig is, met zijn zware geschut enig afweervuur geven.

Overdag liggen de schepen van de ABDA vloot, die Soerabaja als basis hebben, zoveel mogelijk door de haven verspreid om de kans op een treffer zo klein mogelijk te maken.

Op de laatste dag waarop Doormans eskader nog van deze basis gebruik zal maken, de 26ste februari, is er niet minder dan driemaal luchtalarm. Weer is het de 'Houston' die als enige afweervuur kan geven. De schepen van het eskader worden niet geraakt, hoewel de granaatscherven over de dekken vliegen. Na het Alles Veilig van de sirenes speelt de muziekkapel van de 'Houston' swingmuziek op het achterdek . . .

Nachtelijke actie bij Bali

In de tweede helft van februari begint de kans op een Japanse invasie op Java steeds toe te nemen. Tot de 15de van die maand, de dag waarop Singapore capituleert, hebben de Britse officieren op Java zich, althans voor het oog van de nerveuze Nederlanders, onverstoorbaar gedragen. Zo vertellen die Nederlanders elkaar het verhaal van de officier die op een morgen in het Grand Hotel in Djokja zit te ontbijten. Enkele opgewonden Nederlanders komen hem vertellen dat de grote Britse slagschepen 'Prince of Wales' en 'Repulse' door de Japanners zijn vernietigd. De onbewogen Brit geeft een kort commentaar: „Dan zullen we nieuwe moeten bouwen!" Maar na de 15de wordt het de geallieerde officieren duidelijk dat de zaak waarschijnlijk verloren is. Ze hebben er geen enkel vertrouwen in dat Java na de val van Singapore 'The worst disaster and the largest capitulation of British history', in de woorden van Winston Churchill, nog gehouden kan worden. De consequenties worden snel getrokken. Wavell wordt door Londen op een andere belangrijke plaats benoemd en de Combined Chiefs of Staff in Washington komen tot de conclusie dat de verantwoordelijkheid voor het verdere verloop van de operaties in dit gebied – inclusief de vrijwel onvermijdelijke nederlaag – het best op Nederlandse schouders kan worden gelegd. De bevelvoering over alle strijdkrachten wordt dus aan de Nederlanders overgedragen. Opperbevelhebber van alle land-, zee- en luchtstrijdkrachten wordt – althans in naam, want de man heeft geen enkele ervaring op dat gebied – de Gouverneur-Generaal. De zeestrijdkrachten in dit gebied staan al sinds de terugroeping van Hart onder bevel van Helfrich, die daarbij terzijde wordt gestaan door de Britse schout-bij-nacht Palliser en zijn Amerikaanse collega Glassford. De laatste, een lange man met gelaatstrekken zo scherp als een scheermes, geniet in Amerikaanse marinekringen een zekere bekendheid die, curieus genoeg, niet zozeer berust op zijn militaire gaven als wel op het feit dat hij zo'n begaafd spreker is.

Het drietal krijgt, onder de leiding van Helfrich, de kans diens aanvalstechniek in de praktijk toe te passen. Daarbij moet dan allereerst alles in het werk gesteld worden om de dreigende omsingeling van Java te voorkomen. Dit laatste geallieerde bolwerk dreigt namelijk in een geweldige tangbeweging te worden genomen.

De ene poot van de Japanse tang komt nader vanuit het schiereiland Malakka. Een dag na de val van Singapore reeds landen er Japanse troepen op Sumatra. Palembang wordt snel veroverd, de Japanners trekken naar het zuiden en staan vier dagen later aan de kust van Straat Soenda, dat is de zeestraat tussen Sumatra en Java's westkust. Na enkele dagen komt ook de andere poot van de tang in beweging. Op de 19de februari verschijnt er voor de zuidoostkust van Bali – het eiland enkele mijlen ten oosten van Java – een groot Japans konvooi van transportschepen, dat door oorlogsbodems beschermd wordt. Na een verovering van Bali zal Java volkomen geïsoleerd zijn: de verbindingswegen met Australië kunnen dan door de Japanners volledig worden geblokkeerd.

Het eerste doel van de landende troepen is, zoals bij iedere Japanse actie, de verovering van het vliegveld, zodat daar de Zerojagers en de bommenwerpers kunnen worden gestationeerd. Het vliegveld van Bali ligt slechts enkele honderden meters van de kust. Het wordt door een Balinees hulpcorps ter sterkte van een bataljon verdedigd, althans, dat is de bedoeling. Maar nog voor er een schot gelost is, vluchten de mannen in paniek weg, terwijl ze hun wapens neersmijten. Zo kan het vliegveld zonder enige moeite worden bezet. Het is overduidelijk dat het binnen enkele dagen tot een aanvalsbasis tegen Java zal worden uitgebouwd. Bovendien ligt het op enkele minuten vliegen van de belangrijke vlootbasis Soerabaja . . .
Het is duidelijk dat de geallieerden moeten trachten de voor de kust liggende transportvloot te vernietigen en wel voordat alle troepen aan land zijn gezet. Vanuit het ABDA hoofdkwartier in Bandoeng komen de bevelen aan Doorman: de opdracht luidt een nachtelijke actie te ondernemen.
De voordelen van een dergelijke nachtelijke onderneming zijn evident. De kans op ontdekking van de schepen en op een daarop volgend bombardement door Japanse vliegtuigen is 's nachts beduidend kleiner dan bij daglicht. Toch draagt een dergelijke actie ook grote risico's, dat is in de nacht van 14 op 15 februari wel duidelijk gebleken. In die nacht heeft een smaldeel, onder de leiding van Doorman getracht onder de bescherming van de duisternis een aanval te ondernemen op Japanse scheepsafdelingen die in het westelijk deel van de archipel opdringen.
Het aanvallend smaldeel bestond uit vijf kruisers, de Nederlandse 'De Ruyter', 'Java', 'Tromp', de Britse 'Exeter' en de Australische 'Hobart'. Deze kruisers werden begeleid door niet minder dan tien torpedobootjagers, vier Nederlandse en zes Amerikaanse. De actie vond plaats in het zeegebied rond de bekende tineilanden Bangka en Billiton. De vele riffen en eilanden in deze regio maakten een nachtelijke onderneming van deze aard niet zonder risico. De gevolgen bleven dan ook niet uit: om half vijf in de nacht, onder bijzonder slecht zicht, zonder maan en met zware tropische buien, liep de Nederlandse jager 'Van Ghent' op een rif. Het schip was, dat bleek onmiddellijk, reddeloos verloren; wel lukte het alle opvarenden te redden. Enkele uren later, in de ochtend, werd het smaldeel door Japanse vliegtuigen ontdekt. Er volgde tegen het middaguur een zwaar bombardement. In achter elkaar volgende golven werd het eskader zes uur lang vanuit de lucht bestookt. Als door een wonder verloor het smaldeel hierdoor geen enkel schip. Wel

moest de verdere aanval door Doorman worden afgelast, zodat tenslotte geen resultaat van enige betekenis kon worden geboekt.

Ondanks deze tegenslag zal in de nacht van 19 op 20 februari nogmaals een dergelijke raid worden uitgevoerd, in dit geval op de Japanse transportvloot onder de kust van Bali. Twee aanvalsgroepen moeten met enige uren tussenruimte van zuid naar noord door de zeestraat tussen Bali en Lombok stomen om de daar liggende transportvloot te vernietigen. Hopelijk zullen de aanvallende schepen pas op het laatste moment door de tegenstander worden ontdekt, hoewel dat niet geheel zeker is: de kans bestaat dat hun silhouet door maanlicht zichtbaar blijft, voldoende om hun aanwezigheid snel te verraden. De Japanse schepen daarentegen liggen onder het zware en donkere bergmassief verborgen.

Over de sterkte van de tegenstander is jammer genoeg weinig bekend, luchtverkenning is door de Japanse suprematie in de lucht uiterst moeilijk en gevaarlijk. Maar het vermoeden bestaat dat er een groot aantal transportschepen, torpedobootjagers en kruisers onder de Balinese kust ligt.

Om de kans op ontdekking en luchtaanvallen zo klein mogelijk te houden verlaat de eerste aanvalsgolf de haven van Tjilatjap bij nacht.

De volgende dag stoomt men, ver uit zicht van het land, naar het oosten. Er wordt volledige radiostilte in acht genomen, om elke kans op ontdekking te voorkomen. In de avond van de 19de februari nadert deze eerste aanvalsgroep het eiland Bali.

Om 21.00 uur rinkelen aan boord de alarmschellen, de mannen betrekken hun gevechtsposten. Voorop stoomt het vlaggeschip 'De Ruyter', dan volgen de 'Java' en de torpedobootjager 'Piet Hein'. De achterhoede van deze groep wordt gevormd door een tweetal Amerikaanse fourstackers, de 'Ford' en de 'Pope'. Het eskader nadert het gevechtsterrein met een snelheid van niet minder dan 30 mijl. De kruisers zullen, zo is het plan, voornamelijk kanonvuur afgeven, de jagers zetten hun sterkste wapen, de torpedo, in.

Niet verheeld kan worden dat Amerikaanse zeeofficieren in het ABDA hoofdkwartier scherpe kritiek op dit plan van Helfrich hebben uitgeoefend. Zij zien veel meer perspectief in een verrassende torpedoaanval dan in het gebruik van scheepsgeschut in een duistere nacht, waarin het doel niet of nauwelijks is waar te nemen. In zo'n situatie, zo stellen zij, biedt een torpedoaanval veel meer trefkans. Ook het splitsen van de Striking Force in twee aanvalsgroepen wordt door de Amerikanen ongunstig beoordeeld. Er bestaat gevaar voor verwarring, waardoor men elkaar, in plaats van de vijand, zou kunnen gaan belagen. Helfrich meent dat deze kans niet bestaat: de twee groepen komen enkele uren na elkaar ter plaatse en bovendien stomen ze in dezelfde richting, van zuid naar noord, door de zeestraat.

Een half uur nadat het voorste schip, de 'De Ruyter', de zuidpunt van Bali heeft gerond en de zeestraat, straat Badoeng, is binnengestoomd, worden van dit schip af onbekende oorlogsschepen waargenomen, en wel aan bakboordzijde onder de donkere kust van het eiland. Daar de kanonnen in de geschutstorens naar stuurboord gebakst zijn, kan de op topsnelheid stomende 'De Ruyter' geen vuur afgeven. De kruiser verlaat, zonder een schot te hebben gelost, het gevechtsterrein.

Dan volgt de 'Java', die een paar salvo's afgeeft en enkele treffers meent te plaatsen. Ook deze kruiser stoomt vervolgens op hoge snelheid verder door de zeestraat in noordelijke richting, naar de haven, die als rendez-vous voor alle schepen is opgegeven, Soerabaja. Ongeveer drie mijl achter deze twee kruisers volgt de Nederlandse jager 'Piet Hein', daar achter stomen de 'Ford' en de 'Pope'. Van de 'Piet Hein' ziet men op de Amerikaanse jagers alleen het blauwe heklicht over de donkere golven dansen. Het is een duistere maanloze nacht.

De formatie torpedobootjagers stoomt op haar beurt met hoge snelheid van het zuiden uit straat Badoeng, tussen Bali en Lombok, in. De machines lopen zo snel dat de schepen in alle voegen trillen. Een ieder staat op zijn gevechtspost. De spanning aan boord is te snijden. Zowel aan stuur- als aan bakboord zijn zoeklichten te zien, bewegend langs de nachtelijke hemel, speurend naar een tegenstander. De Japanse Marine is klaarwakker.

De voortstormende 'Piet Hein' geeft een aantal kanonsalvo's af op het silhouet van een schip, dat aan bakboord, onder de Balinese kust, even te zien is. Ook worden enkele torpedo's gelanceerd. Dan legt de jager een nevelscherm. In de volgende minuten ontstaat plotseling een verwarde situatie. De Nederlandse jager, die eerst iets naar bakboord stuurt, draait vervolgens uit naar stuurboord en voert dan een koerswijziging van 180 graden uit. Daarmee ligt het schip op tegenkoers en stoomt de Amerikaanse fourstackers tegemoet. Geschut buldert over het donkere water, overal is opvlammend mondingsvuur te zien. Vanaf alle schepen wordt zwaar gevuurd, met het risico, dat ook eigen mensen en materiaal daarvan het slachtoffer worden.

Sommige bemanningsleden van de 'Piet Hein' menen te zien dat de twee Amerikaanse jagers de hun tegemoet stormende Nederlandse bondgenoot onder vuur nemen, maar erg waarschijnlijk is dat toch niet. Op de Amerikaanse fourstackers weet men wel zeker een dergelijke fatale vergissing niet te hebben gemaakt. In ieder geval ontvangt het Nederlandse schip wel een aantal zware treffers.

Enkele seconden lang is, vanaf de Amerikaanse jagers, de 'Piet Hein' zo duidelijk zichtbaar alsof elke plaat en elke stut met lichtgevende verf is beschilderd. Granaatinslagen doen het schip schudden. De hoofdstoomleiding wordt vernield, de stoomdruk valt weg, de turbines stoppen en het schip verliest snel vaart. De gereedliggende munitie aan dek vliegt in brand. Overal liggen plotseling doden en gewonden.

Binnen enkele minuten is de 'Piet Hein' een brandend wrak dat snel slagzij maakt. Het schip is vrijwel stil komen te liggen. Toch volgen, na het inslaan van deze fatale treffers, geen nieuwe inslagen. Dat geeft de bemanning even de tijd op adem te komen en de schade te overzien. Er wordt een motorsloep gestreken waarmee een twaalftal zwaargewonden kan worden afgevoerd en er worden pogingen gedaan de branden te blussen en de machines weer aan de gang te krijgen. Ondertussen gaat het kanongebulder rondom het schip door.

Dan, na ongeveer vijftien minuten, wordt het door een zoeklicht gepakt. De 'Piet Hein' komt wéér onder zwaar vuur te liggen. De commandant geeft bevel het schip te verlaten. Sommigen gooien vlotten en ander drijvend materiaal in het water, dat al met een dikke laag stookolie bedekt is. Na een laatste felle explosie zinkt het schip weg in het duistere water. Vele zwaargewonden gaan met de 'Piet Hein' ten onder.

De vlotten met overlevenden komen onder Japans mitrailleurvuur, waardoor nog meer slachtoffers vallen. In de loop van de volgende dag weet een aantal overlevenden tenslotte de kust van Bali te bereiken. Van een bemanning van 150 mensen overleven nauwelijks drie dozijn deze ramp.

De twee achter de 'Piet Hein' varende Amerikaanse jagers, het zijn de 'Ford' en de 'Pope', stormen op hun beurt met een dertig mijlen vaart door de zeestraat. De 'Ford' wordt door een wild zwaaiend zoeklicht gepakt, de lichtkegel valt vol op de commandobrug. Een eerste salvo valt in zee vlak achter het achterschip, watermassa's spoelen over de jager. Het water slaat een sloep los, die tegen de scheepswand dreunt en bonkt, tot iemand hem lossnijdt. Granaten slaan zo dicht om het schip neer dat voortdurend watermassa's over de dekken slaan, waardoor niemand op de been kan blijven.

De jagers zwaaien 180 graden af, gaan op tegenkoers en lanceren torpedo's. Er worden vuurflitsen van zware explosies gezien, mogelijk voltreffers op vijandelijke schepen. Omdat het onmogelijk is de zeestraat onder deze heftige beschieting verder door te lopen blijven de beide jagers op hun zuidelijke koers en keren terug naar Tjilatjap. Ondanks het felle Japanse kanonvuur zijn de beide Amerikaanse jagers zonder veel schade uit de strijd gekomen. Een ieder aan boord van de geallieerde schepen is ervan overtuigd, dat de Japanners met een grote macht in de zeestraat aanwezig zijn. Men meent in het nachtelijk duister het silhouet van zes kruisers te hebben gezien en waarschijnlijk nog een tweetal meer. Daaronder bevinden zich mogelijk ook enkele zware kruisers.

De bemanningsleden van de geallieerde schepen hebben nauwelijks geloofd dat ze deze hel nog levend zouden verlaten. De kwartiermeester van de 'Ford', die nauwgezet alle koerswijzigingen heeft genoteerd, blijkt, zo merkt de commandant bij de terugkomst in de haven, een notitie te hebben gemaakt op de kaart, op het moment waarop de 'Ford' onder vuur kwam te liggen: „John D. Ford ondergegaan, 19.2.42; 10.46 uur" . . .

Enkele uren later, het is dan al na middernacht, verschijnt de tweede geallieerde aanvalsgroep op het strijdtoneel. Deze groep komt vanuit Soerabaja en bestaat uit vier Amerikaanse 'blikken bussen', de 'Stewart', 'Parrott', 'Edwards' en 'Pillsbury', verder uit de Nederlandse lichte kruiser 'Tromp'. Het is Doormans bedoeling dat de jagers eerst een torpedoaanval – hun sterkste wapen – zullen uitvoeren, waarna de 'Tromp' de aanval met kanonvuur zal afsluiten. Radioberichten over het verloop van het eerste deel van de aanval heeft deze groep, door de radiostilte die in acht moet worden genomen, niet gekregen.

Op het ogenblik waarop de tweede aanvalsgroep van het zuiden uit in Straat Badoeng verschijnt, dat is om twee uur in de nacht, is het zicht, door het schijnsel van een kleine maansikkel, wat beter geworden. De jagers lanceren hun torpedo's op silhouetten onder de kust van Bali, maar de explosie en lichtflits van een treffer worden daarbij niet gezien. Dan ontstaat een fel kort vuurgevecht. De 'Pillsbury'

46

plaatst een serie voltreffers op een Japanse torpedobootjager (de 'Michishio'), die daardoor zeer zwaar wordt beschadigd. Aan boord van de Japanse jager wordt de machinekamer getroffen, waardoor de machine stilvalt. De elektrische stroom valt uit en er zijn tientallen doden en zwaargewonden. Het schip zinkt niet, maar het is wel voor vele maanden buiten gevecht gesteld.

De Amerikaanse jagers stomen op topsnelheid verder door de duistere zeestraat. Plotseling krijgt de 'Parrott' ernstige problemen met de stuurinrichting. Het schip loopt uit de jagerlinie, op de kust van Bali af. Een aanvaring met de 'Pillsbury' kan nog maar op het nippertje worden voorkomen. De 'Parrott' loopt op de kust van het eiland, maar weet, na enkele spannende ogenblikken, weer los te komen. Het schip stoomt, met de drie overige jagers, naar Soerabaja. In dit nachtgevecht van de Amerikaanse jagerdivisie heeft alleen de 'Stewart' een granaattreffer op het achterdek opgelopen, waarvoor het schip in het grote dok van het Marine Etablissement moet worden opgenomen. Daar wordt een fout gemaakt met het plaatsen van de stapelblokken. Bij het rijzen van het dok stort de 'Stewart' op de zijde. Niet alleen de jager gaat verloren, maar ook het dok is verder niet meer te gebruiken. Door allerlei technische mankementen aan de fourstackers blijven er voor de volgende operaties uiteindelijk nog maar vier beschikbaar, de 'Ford', 'Edwards', 'Alden' en 'Paul Jones' . . .

De 'Tromp' heeft aan het vuurgevecht van de voor haar stomende jagers niet deelgenomen, maar houdt zich klaar om in te grijpen. Na het staken van het kanonvuur komt ook de 'Tromp' in actie. De lichte kruiser koerst op hoge snelheid door de zeestraat in noordelijke richting.

Plotseling verschijnen er achter de 'Tromp' zoeklichten, die het schip in hun stralenbundels vangen. Tegelijkertijd wordt het schip onder vuur genomen. Het zijn, zo menen sommigen aan boord, 20 cm granaten. Dat zijn granaten, die alleen van een zware kruiser afkomstig kunnen zijn.

De 'Tromp' incasseert treffer na treffer. Eerst wordt de navigatiebrug getroffen, daarna de commandotoren. Hier, in het vuurleidingscentrum, vallen doden en gewonden, waardoor de vuurleiding volledig wordt uitgeschakeld. Het inwendige van de toren is een totale chaos van verwrongen metaal.

De stukscommandanten weten niet dat het vuurleidingscentrum buiten gevecht is gesteld, zij wachten tevergeefs op aanwijzingen. Die komen pas als een gewonde officier, vanuit de toren, strompelend een geschutstoren weet te bereiken. Nu wordt de situatie duidelijk. Binnen enkele seconden vuren alle stukken zelfstandig verder, waarbij de zoeklichten als doel worden gekozen. Ook worden treffers op twee tegenstanders geplaatst. De 'Tromp' zelf loopt niet minder dan elf granaattreffers op, zonder dat de machines uitvallen. Ook ontstaat er geen brand, maar er zijn tien gesneuvelden en zeker dertig gewonden. Dan wordt het plotseling weer donker, de zoeklichten zijn uitgevallen, mogelijk weggeschoten. De Japanse oorlogsbodems staken het vuren en de strijd, die nauwelijks zes minuten heeft geduurd, is voorbij.

De commandant van de 'Tromp', luitenant ter zee De Meester, heeft tijdens de heftige beschieting de radiostilte verbroken: „Badly damaged, badly damaged."

Dan wordt weer radiostilte in acht genomen. In Soerabaja en Bandoeng, waar   47 men het sein heeft opgevangen, wordt het ergste vermoed: de 'Tromp', een van de beste en modernste schepen van de Nederlandse Marine moet verloren gegaan zijn. Maar het schip heeft zich met grote snelheid op een noordelijke koers van het strijdtoneel kunnen verwijderen. Het binnenlopen van de zwaarbeschadigde 'Tromp', de volgende dag, in Soerabaja, is voor de marinemensen een grote verrassing.

De Nederlandse kruiser heeft zoveel schade opgelopen dat herstel op Java niet mogelijk is. Na enige noodvoorzieningen wordt het schip voor verdere reparatie naar Sidney in Australië gezonden. Zo moet wederom een schip van de geallieerde sterkte worden afgevoerd. Toch is men aan geallieerde zijde niet ontevreden.

De bemanning van de 'Tromp' is ervan overtuigd zelf ook een aantal treffers te hebben geplaatst, terwijl ook de Amerikanen successen claimen voor hun torpedoaanvallen. De nachtelijke actie bij Bali wordt door de Nederlanders op Java beschouwd als een overwinning, ook al is het niet gelukt de Japanse landing op Bali te verhinderen. Nog in 1946 heeft men niet de geringste twijfel over het succes van de nachtelijke raid door de zeestraat: ,,Een onzer torpedobootjagers, Hr Ms 'Piet Hein' werd in den grond geboord, maar welk een prijs was met dat verlies gekocht. De exacte resultaten van den nachtelijken strijd zijn niet bekend, maar geschat wordt dat onze aanval den vijand op een twintigtal schepen is komen te staan." (Küpfer).

In het officiële verslag over deze actie wordt aangegeven dat twee Japanse kruisers en twee Japanse torpedobootjagers ernstig zijn beschadigd, terwijl een andere kruiser waarschijnlijk gezonken is. De 'Tromp' is zwaar beschadigd, zo meldt het verslag, door een zware kruiser, die met 20 cm kanonnen bewapend was.

Later is uit Japanse gegevens gebleken dat de strijdkrachten van de Japanse Marine bij Bali slechts van beperkte omvang waren. Door de gebrekkige luchtverkenning was dat de geallieerden niet bekend. Tijdens de eerste aanvalsgolf stonden tegenover de geallieerde formatie in totaal twee moderne, in '37 en '38 gebouwde torpedobootjagers. De felle tegenstand van deze twee jagers, de 'Oshio' en de 'Asashio', heeft de indruk doen postvatten dat de geallieerden tegenover een zwaar vijandelijk eskader stonden. In de tweede fase van de actie was deze Japanse macht nog met een tweetal moderne jagers versterkt. Een van deze jagers, de 'Michishio', werd, het is al vermeld, zwaar beschadigd, terwijl ook twee andere, de 'Oshio' en de 'Asashio', beschadigd werden, zij het dan minder ernstig. Van 20 cm kanonnen en van zware kruisers die de 'Tromp' onder vuur zouden hebben genomen, is echter geen sprake geweest. Ook is geen enkel Japans oorlogs- of transportschip verloren gegaan.

In Nederlands-Indië heeft niemand de juiste toedracht geweten, die werd eerst na de oorlog duidelijk toen de Japanse archieven werden geopend. De geallieerden zijn ervan overtuigd geweest dat er een overwinning was geboekt. Alleen de grote overmacht van de tegenstander maakte het hem mogelijk om, ondanks deze zware verliezen, de strijd voort te zetten – zo dacht men.

Ship-A-Day Helfrich.

De Mitsubishi G3 M2
Nell bommenwerper.
Toestellen van dit type
slagen er op 4 februari
1942 in zware treffers
te plaatsen op de 'Houston'
en de 'Marblehead'.

De zware Amerikaanse kruiser 'Houston'.

De 'Marblehead' weet, na door Japanse luchtaanvallen zwaar beschadigd te zijn, de haven van Tjilatjap te bereiken.

Karel Doorman
te Soesterberg in 1916.

Boeing B 17,
op het vliegveld Andir
bij Bandoeng door een
Japanse luchtaanval
vernietigd.

Branden op het Marine Etablissement van Soerabaja na een Japanse luchtaanval.

De pantserkruiser 'Zeven Provinciën'.

25 en 26 februari

Op 21 februari besluit Helfrich zijn, overigens toch al minimale strijdmacht in twee groepen te verdelen, een westelijke en een oostelijke Striking Force. Reden van deze verdeling is deels het nijpende tekort aan stookolie. Zolang de schepen van de westelijke Striking Force hun basis in Tandjong Priok hebben, kan de brandstofvoorziening nog vanuit deze haven plaatsvinden, waardoor Soerabaja ontlast wordt. Op het kritieke moment zal Helfrich uiteraard de twee groepen weer snel moeten samenvoegen onder één commandant.

Dan, op 24 februari, komen verkenningsberichten binnen, die melden dat een grote Japanse transportvloot in Straat Makassar naar het zuiden opstoomt. Deze vloot heeft op 23 februari de haven van Balikpapan verlaten. Bovendien landen op dezelfde dag Japanse strijdkrachten op het eilandje Bawean, dat ongeveer 150 kilometer ten noorden van Soerabaja in de Javazee ligt. Het is duidelijk dat de slotacte nu snel zal beginnen.

Helfrich besluit dat dit het moment is om de westelijke en de oostelijke Striking Force weer te verenigen. Uit beide groepen moet een zo sterk mogelijke Combined Striking Force ontstaan, welke zijn basis zal krijgen in Soerabaja. Het grootste schip van het westelijke eskader is de Britse zware kruiser 'Exeter', die onder commando van kapitein ter zee Gordon staat. In de nacht van 24 op 25 februari krijgt hij de opdracht met de andere schepen van dit eskader van Tandjong Priok naar Soerabaja op te stomen. Daar zal het gecombineerd vlooteskader onder bevel van schout-bij-nacht Doorman worden gesteld. Het westelijke eskader, dat nu definitief Tandjong Priok als basis opgeeft, bestaat, behalve de 'Exeter', uit de Australische lichte kruisers 'Hobart' en 'Perth', en uit de Britse torpedobootjagers 'Electra', 'Jupiter' en 'Encounter'.

Het vlaggeschip van dit eskader, de 'Exeter', is al wereldberoemd: het nam deel aan de roemruchte slag bij de Rio de la Plata, in december 1939. Daar werd, tezamen met de kruisers 'Achilles' en 'Ajax', een overwinning behaald op het Duitse slagschip 'Admiral Graf Spee'. Tijdens dat zeegevecht werd de 'Exeter' ernstig beschadigd.

De 'Exeter' is een zware kruiser van 8390 ton en is bewapend met zes kanonnen   49 van 20 cm in drie geschutstorens, twee vooruit en een achteruit. Verder heeft het schip acht stukken luchtdoelgeschut van 10 cm.

De kruiser, die op 18 juli 1929 in Devonport tewater gelaten is en een bemanning van 650 man heeft, is na de slag bij Rio de la Plata in het dok van Devonport hersteld en gemoderniseerd. Dat was een operatie die meer dan een jaar in beslag nam. Zo kwamen er twee katapulten voor het lanceren van verkenningsvliegtuigen en er werd dubbelloops korte afstand luchtdoelgeschut van een halve inch geïnstalleerd. Ook zou een nieuwe uitrusting voor de vuurleiding en radar worden ingebouwd, maar, wat de radar betreft, kwam men niet meer op tijd klaar. Zware Duitse luchtaanvallen maakten het noodzakelijk de reparaties snel te beëindigen, zodat het schip naar zee kon vertrekken. De stad brandde, toen de kruiser op 24 maart 1941 voor het laatst haar thuishaven verliet, onder commando van de 45-jarige kapitein ter zee Oliver L. Gordon.

Gordon heeft op dat tijdstip al een interessante en afwisselende loopbaan achter de rug. Hij was in 1896 in Brits-West-Indië (Antigua) geboren en werd in 1909 cadet bij de Royal Navy. In het begin van de Eerste Wereldoorlog werd hij bevorderd tot luitenant ter zee. Na die oorlog specialiseerde hij zich in navigatie. In de jaren '32 tot '34 fungeerde Gordon als navigatieofficier op het koninklijke jacht 'Victoria and Albert'. Daarna deed hij enige tijd dienst op het slagschip 'Warspite'. In maart 1941 werd hij, na het plotseling overlijden van de vorige commandant, voor hem geheel onverwacht, benoemd tot bevelhebber van de 'Exeter'.

Op woensdag 25 februari om vier uur 's morgens wordt de haven van Tandjong Priok verlaten. Overal aan wal zijn branden te zien, olietanks, in brand gebombardeerd tijdens de vele Japanse luchtaanvallen. De Australische lichte kruiser 'Hobart' kan zich niet bij de vertrekkende schepen voegen: de tanker die haar van olie had moeten voorzien is bij een luchtaanval zwaar beschadigd.

De tocht van Tandjong naar Soerabaja, een kwestie van vierentwintig uur, verloopt zonder incidenten. Om ongeveer half een in de middag van donderdag 26 februari nadert het eskader de mijnenvelden, die de toegang tot de haven beschermen. De schepen worden door loodsen de haven binnengebracht en gaan omstreeks vier uur voor anker, onder het sombere geloei van de sirenes van het luchtalarm.

Gordon krijgt, evenals de andere Britse commandanten, de opdracht zijn schip gereed te houden voor een vertrek binnen enkele uren, hetgeen betekent dat er geen gelegenheid is voor de meeste schepen de olievoorraad op peil te brengen. Dat lukt alleen nog bij de torpedobootjagers 'Jupiter', 'Electra' en 'Encounter'.

Ongeveer een uur na het ankeren komt er een motorboot langszij de 'Exeter'. Luitenant Jackson, Brits verbindingsofficier, toegevoegd aan eskadercommandant Doorman, komt aan boord met de mededeling dat Doorman een conferentie wil houden met zijn commandanten. Gordon seint dat bericht door aan zijn collega, kapitein ter zee Waller van de 'Perth', met het verzoek hem op te pikken wanneer hij naar de wal gaat. Aan wal stappen Gordon, Waller en de navigatieofficier van de 'Exeter', luitenant ter zee Hudson, die tijdens de bespreking aantekeningen zal maken.

Op de kade, naast de Nederlandse kruiser 'De Ruyter', staat een personenauto. Achter het stuur zit de eigenaar, een officier van de Nederlandse kruiser.

„Onze indruk was, dat hij het gaspedaal op de plank trapte en het daar hield. De rit – in totaal ongeveer vier kilometer – was een nachtmerrie. De straten wemelden van voetgangers, maar de claxon loeide vrijwel aan een stuk door en menigeen moest met een snelle sprong het vege lijf redden. Tot op heden vraag ik me nog af hoe wij, zonder slachtoffers te hebben gemaakt, ons doel bereikten. Sjonge, wat een rit was dat. Ik hoop, dat ik zoiets nooit meer mee hoef te maken."

De rit voert naar het ruime hoofdkwartier van de ANIEM, de Algemene Neder- landsch-Indische Electriciteitsmaatschappij, dat door de Marine gevorderd is. Binnengekomen wordt het Gordon en Waller al gauw duidelijk waarom er zo'n dolle haast is gemaakt. Zij zijn te laat gewaarschuwd, de commandanten van de overige schepen zijn allen reeds lang aanwezig en de conferentie is al een heel eind gevorderd, zodat Doorman de nog overgebleven tijd, dat is ongeveer een half uur, moet gebruiken om het besprokene nog eens te recapituleren.

Alle aanwezige officieren zijn correct gekleed in witte, goed gesteven uniformen met blinkende schouderbedekkingen. Voor de conferentie begint hebben de op dat moment al aanwezige commandanten de gelegenheid voor een gesprek. Men schudt handen en wisselt oorlogservaringen uit. Het loeien van de sirenes stoort daarbij nauwelijks. Sommigen van de aanwezigen hebben al langer onder Door- man in de Striking Force geopereerd, anderen hebben zich met andere taken, zoals het begeleiden van convooien naar Singapore, beziggehouden. Thans zijn de commandanten van alle nog bruikbare oorlogsbodems in dit gebied bijeen, blijk- baar voor een laatste gecombineerde krachtsinspanning.

Bij de binnenkomst van schout-bij-nacht Doorman en zijn chef staf J.A. de Gelder wordt het stil. Iedereen staat op. Sommigen zien hun eskadercommandant voor de eerste maal.

Doorman, een man van middelbare grootte, gezet, wat voorovergebogen en met een rood gelaat, maakt een sympathieke indruk. De commandanten van de jagers die zojuist uit Priok zijn gearriveerd, worden aan hem voorgesteld. Daarna wordt iedereen verzocht plaats te nemen aan de lange, met kaarten overdekte conferen- tietafel. Doorman, in een wit shirt met korte mouwen, geeft in Engels met een zwaar Nederlands accent aan de hand van de kaarten een uiteenzetting van de situatie. Daarna ontvouwt hij zijn instructies. „Dit was de laatste van de twee korte ontmoetingen, die ik met de Nederlandse schout-bij-nacht gehad heb, en beide keren was ik zeer onder de indruk van zijn buitengewone beminnelijkheid." (Gordon).

Voor degenen die Doorman al langer kenden, was het beoordelen van zijn karak- ter niet zo simpel. Hij kon, dat wist men, als hij in de weg gelopen werd, onaange- naam uitvallen. Bovendien voelde hij zich de laatste tijd niet zo goed: hij had last van een chronische dysenterie. Daarbij komt, dat hij in deze dagen ongetwijfeld voor de moeilijkste opgave van zijn leven staat. De verantwoording voor de aller- laatste poging Nederlands-Indië van de ondergang te redden rust op zijn schou- ders.

Doorman deelt zeker niet zonder meer de ongecompliceerde aanvalsgeest van zijn chef, Helfrich. De meer nuchtere strateeg Doorman vraagt zich af of een tactisch terugtrekken van de vloot waarbij zowel schepen als mensen worden gespaard tot zich een grotere kans op succes voordoet, niet verstandiger is. De huidige situatie geeft geen enkele kans op een overwinning te zien, zuiver militair gezien is het aangaan van een gevecht zinloos – het zou tot een nutteloze opoffering van mensen en materiaal voeren.

Voor de aanvang van de ANIEM conferentie heeft Doorman nog een laatste telefoongesprek met Helfrich, die zich in het hoofdkwartier in Bandoeng bevindt, gehad. In dat gesprek heeft Doorman zijn inzichten en die van zijn naaste medewerkers weergegeven: zij betwijfelen of een confrontatie met de Japanse vloot op dit tijdstip nog wel enige zin heeft. Maar Helfrich is op zijn standpunt blijven staan: de naderende strijdmacht moet worden opgespoord en de transportschepen moeten worden vernietigd.

Hoewel Doorman zijn eigen opvatting duidelijk aan Helfrich heeft medegedeeld, met name zijn twijfel heeft laten blijken over de kansen van de Combined Striking Force, is de operatie uiteindelijk toch uitgevoerd volgens de offensieve strategische ideeën van Helfrich. Na het bewuste telefoongesprek is alle discussie geëindigd. Fatalistisch moet Doorman de orders hebben uitgewerkt en aan de scheepscommandanten hebben doorgegeven. Mocht hij tijdens de ANIEM conferentie hebben getwijfeld aan de zin van de te verwachten zeeslag, dan is daar, althans naar buiten, niets van gebleken.

Veel vrolijks heeft hij overigens niet mede te delen. Hij wijst er allereerst op dat de geallieerde strijdmacht niet bepaald meer ongeschonden is. De 'Houston' mist de achterste geschutstoren en de Nederlandse torpedobootjager 'Kortenaer' kan een van zijn ketels vanwege een lekkage niet gebruiken. Dat brengt de maximumsnelheid van het schip, en daarmee van het hele eskader, terug tot 25 mijl.

Vervolgens komt Doorman met de mededeling dat de Amerikaanse jager 'Pope' wegens machineschade niet met de Combined Striking Force kan uitvaren. Een volgend punt dat door Doorman ter sprake wordt gebracht is de samenwerking met de luchtmacht. Een vlooteskader heeft, dat maakt de ervaring van de laatste maanden wel duidelijk, in de eerste plaats bescherming van jachtvliegtuigen nodig tegen bomaanvallen. In de tweede plaats moet een eskader, om de vijand te lokaliseren, beschikken over gegevens van verkenningsvliegtuigen. Zonder deze berichten, die zo recent mogelijk moeten zijn, is een eskader blind. Tegenover een vijand die wel luchtverkenning heeft, is dat een onoverkomelijk nadeel. Ongelukkig genoeg is bij de opzet van ABDAcom een organisatievorm gekozen, waarbij de vloot geen zeggenschap meer over verkenningsvliegtuigen heeft. Al deze toestellen, ook de eigen vliegboten waar het eskader jaren mee geoefend heeft, zijn onder commando van een van de vloot onafhankelijke organisatie te weten ABDAair gekomen. Dit ABDAair nu heeft er grote bezwaren tegen dat verkenningsberichten rechtstreeks naar de marine worden doorgegeven. Alle verkenningsberichten dienen eerst naar het hoofdkwartier in Bandoeng te worden gezonden. Rechtstreeks mag dit ook niet, de verbinding dient te lopen via het radiostation van Batavia en via het Departement van Marine. Het gevolg is dat de berichten in het geheel niet, of met grote vertraging, bij de vloot terechtkomen.

52

Voor het begin van de ANIEM conferentie heeft Doorman telefonisch contact gehad met het marinevliegkamp Morokrembangan en wel met het dringend verzoek om alle meldingen die door de vliegboten worden doorgeseind, niet alleen naar Bandoeng, maar ook rechtstreeks naar hem door te geven.

Naar Doorman nu de verzamelde commandanten kan mededelen, heeft men daar, althans in theorie, in toegestemd. Deze mededeling van Doorman wordt door de verzamelde officieren met enig ongeloof, en zelfs met enig gelach, ontvangen. Het recente verleden geeft hun weinig vertrouwen in die samenwerking.

Het andere belangrijke punt, luchtdekking door jachtvliegtuigen, wordt zelfs in theorie niet ingewilligd. De enkele toestellen die de luchtmacht nog heeft wenst men op eigen initiatief in te zetten tegen de naderende invasievloot. De enige mogelijkheid om het evenwicht in de lucht te herstellen, dat weten alle aanwezigen, ligt in de aanvoer van nieuw materiaal. In theorie is daar in december een regeling voor getroffen. Mensen en materiaal, bestemd voor de opbouw van de luchtmacht, zullen in toenemende aantallen Java binnenstromen. Meer dan duizend toestellen zullen worden aangevoerd.

Maar de snelle nadering van de Japanse vloedgolf heeft al deze optimistische plannen doen stuklopen. Er is, op deze 26ste februari, nog een enkele grote zending onderweg, een zending waar velen al hun hoop op hebben gevestigd. Het gaat om een tweetal transportschepen. Het ene, de 'Langley', is een oud vliegdek-schip, dat beladen is met niet minder dan 32 moderne jagers, compleet met piloten en geheel gevechtsklaar. Het andere transportschip, de 'Seawitch', is geladen met 27 toestellen, die nog gemonteerd moeten worden. De onderdelen zijn in kratten verpakt. Beide schepen zijn, onder een uiterst zwakke bescherming, op weg van de Australische haven Fremantle naar Tjilatjap, zoals bekend de enige aanvoerhaven die nog enigermate veilig voor Japanse bombardementen is. De aankomst van deze toestellen kan de positie van de luchtmacht en daarmee de mogelijkheden tot samenwerking met de marine, aanmerkelijk verbeteren. Op het moment waarop Doorman zijn conferentie houdt, zijn de twee schepen nog in de Indische Oceaan, maar ze kunnen binnen 48 uur Tjilatjap binnenlopen. Voor de komende operatie zijn zij dus niet meer van belang.

Na afloop van de bijeenkomst worden de commandanten naar hun schepen terug-gereden. De terugreis naar de kade vond, zo vertelt Gordon, in een rustiger tempo plaats. „We zaten, herinner ik me, in een andere auto."

Spoedig nadat een ieder op zijn schip gearriveerd is, wordt het anker gelicht. Het is dan ongeveer zeven uur in de avond. Gordon en Waller zijn nauwelijks drie uur in Soerabaja geweest.

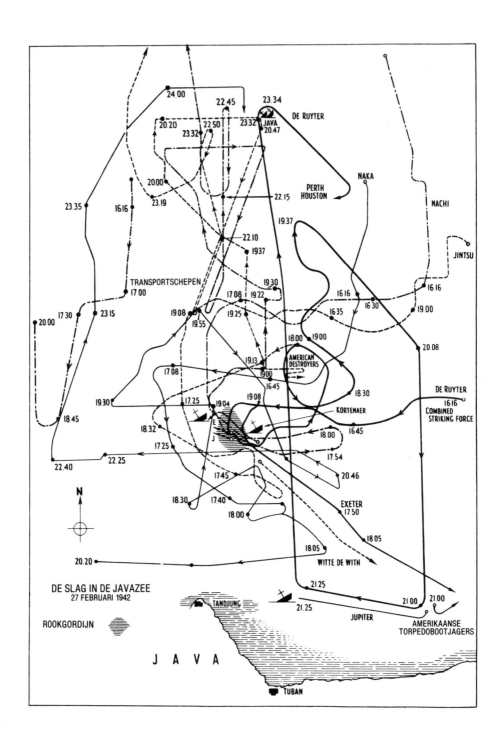

DE SLAG IN DE JAVAZEE
27 FEBRUARI 1942

ROOKGORDIJN

Donderdag 26 februari, de Striking Force vaart uit

Het formeren van het eskader, in de haven van Soerabaja, in de avond van donderdag 26 februari, bij buiig weer, gaat met een ongeval gepaard. De 'De Ruyter' overvaart een sleepbootje, dat een prauw, geladen met vuilnis, op sleep heeft. Het scheepje zinkt vrijwel onmiddellijk, maar met een snel uitgezette sloep kunnen de vier bemanningsleden worden gered.

Bij het verlaten van de haven passeert het eskader de marinesociëteit Modderlust, een modern strak gebouw met ruime terrassen. Vanaf deze terrassen hebben de Nederlandse marineofficieren in betere tijden de ten anker liggende schepen kunnen gadeslaan, met daar tussendoor zeilend, de vele kleurige Madoerese prauwen.

Toch werden in die vooroorlogse jaren in deze prachtige en moderne marineclub eigenlijk niet zoveel marineofficieren gezien. Zij die geen dienst hadden prefereerden een bezoek aan de bovenstad boven een verblijf in de Oedjoeng. De Oedjoeng is de aanduiding voor het Marine Etablissement. Het ligt evenals Modderlust, oostelijk van de Kali Mas. Aan de westzijde ligt Tandjong Perak, de koopvaardijhaven met haar dokken, loodsen en vemen. Nog meer westelijk ligt het voor de oorlogvoering uitermate belangrijke vliegveld Morokrembangan. De schepen verlaten een haven, waar door de voortdurende bombardementen een complete chaos heerst. Rookwolken en stank van brandende rubber en olie beheersen het beeld. Loodsen, gebouwen en opslagplaatsen zijn vernietigd of zwaar beschadigd. Ook de marinesociëteit is zwaar beschadigd. Door de luchtdruk van de bomexplosies zijn ramen en deuren weggeslagen. Het vroeger zo fraaie witte gebouw is met grauwe camouflagekleuren beschilderd, een zinloze zaak, als niet tevens de slagschaduwen van het gebouw door netten of door beplanting worden verhuld . . .

Het geallieerd eskader dat door Doorman de haven wordt uitgevoerd, wordt voorafgegaan door een scherm, gevormd door de torpedobootjagers 'Electra', 'Jupiter', 'Encounter', 'Witte de With' en 'Kortenaer'. Daarop volgen, in kiellinie varend, de 'De Ruyter' – dat de vlag van eskadercommandant Doorman voert – de 'Exeter', 'Houston', 'Perth' en 'Java'. Als laatste verlaten vier Amerikaanse fourstackers de haven. Het zijn de 'Edwards', die de commandant van dit jagerflotielje, de kapiteinluitenant ter zee Binford, aan boord heeft, en verder de 'Alden', 'Paul Jones' en de 'Ford'. De 'Ford', of eigenlijk voluit de 'John D. Ford', kiest als allerlaatste schip onder Doormans vlag zee, onder het trieste geloei van de sirenes van het luchtalarm. Havenpersoneel is in geen velden of wegen te bekennen. Dat probleem wordt door een van de bemanningsleden opgelost. Hij – het is matroos G.H. Fox – springt poedelnaakt op de kade en gooit de trossen los. Deze vier Amerikaanse jagers zijn de enig overgeblevenen van de groep van dertien schepen van dit type die aan de strijd in de archipel hebben deelgenomen.

De 'John D. Ford', no 228 staat er met grote cijfers op de scheepsromp aangegeven, was aanbesteed in 1917, toen de Duitse onderzeebootaanvallen in de Eerste Wereldoorlog op hun hevigst woedden. Het schip was pas een jaar na de wapenstilstand op stapel gezet en daardoor langzamer en wellicht wat zorgvuldiger gebouwd dan sommige van haar eerder gebouwde zusterschepen. De fourstackers zijn bij hun bemanningen niet bepaald geliefd. Ze hebben in het jaar 1942 nog steeds dezelfde primitieve accommodatie, die bij het bouwjaar past. Zo zijn er nog boven elkaar geplaatste kooien in de hutten en de wastafels moeten nog in putsen geleegd worden. Ventilatie, van enorm belang in de tropen, is er niet, zodat de hutten benedendeks overdag ondraaglijk heet zijn. Bovendien zijn de jagers lang en smal gebouwd, waardoor ze bij een wat zware zeegang geweldig rollen. Ook zijn zij slecht manoeuvreerbaar. Jagers van dit type waren dan ook al zes jaar geleden voor de sloop bestemd. Verder hebben de schepen, die zichzelf al jaren overleefd hebben, sedert vele jaren geen grote onderhoudsbeurt gehad. Hun sterkste punt, dat is duidelijk, is – naast de al genoemde torpedobewapening – hun lage silhouet. Ze zijn, bij een nachtelijke actie zoals nu voor de deur staat, voor een tegenstander nauwelijks waarneembaar, een geweldig voordeel.
Officieren aan boord van de 'Ford' verbazen zich enigszins over de opstelling, die Doorman voor zijn strijdmacht heeft gekozen. De linie wordt namelijk geopend door de lichte kruiser 'De Ruyter', de twee zware kruisers 'Exeter' en 'Houston' varen in het midden, en de 'Perth' en de 'Java', beide lichte kruisers, sluiten de rij. Tijdens hun opleiding in het marinecollege in Annapolis hebben de Amerikaanse officieren een grondige studie gemaakt van de werken van hun landgenoot Alfred Thayer Mahan. In 1890 publiceerde deze marineofficier een boek, *The Influence of Seapower upon History*, een standaardwerk, dat voor iedere marineofficier op de gehele wereld, zowel in de Verenigde Staten, Duitsland als Japan, tot de verplichte lectuur behoort. Mahan stelde de basisregels voor de strategie en tactiek van de zeeslag op. Een van de grondregels van Mahan is, zo herinneren de Amerikanen zich, de noodzakelijkheid de sterkste schepen aan de uiteinden van de linie te plaatsen. Doorman kan met zijn opstelling, zo menen zij, onmogelijk de meest gunstige afstand kiezen voor zowel zijn schepen met 20 cm (zoals 'Houston' en 'Exeter') als die met 15 cm geschut (zoals 'De Ruyter', 'Java' en 'Perth'), zonder zijn formatie op te breken.

Na het verlaten van de haven worden eerst enkele mijnenvelden gepasseerd. Dat zijn velden die door Nederlandse mijnenleggers zijn gelegd om de haveningang te beschermen. De zee is kalm, het is bijna volle maan en het zicht is goed. Buiten-gaats wordt door de Britse torpedobootjager 'Encounter' en de Nederlandse jagers 'Witte de With' en 'Kortenaer' aan de bakboordzijde van de kruiserlinie een scherm gevormd.

Eind 1941, op het ogenblik dat de Nederlandse vloot in de Indische wateren voor het eerst in het wereldnieuws kwam, beschikte de Koninklijke Marine in dit gebied over in totaal zeven, merendeels verouderde, torpedobootjagers. Naast de 'Witte de With' en de 'Kortenaer' waren dat de 'Evertsen', de 'Van Nes', de 'Van Ghent', de 'Banckert' en de 'Piet Hein'. Op deze beslissende 26ste februari zijn er in Soerabaja, op het dramatische tijdstip als Doorman een laatste poging wil wagen de dreigende Japanse invasie te keren, nog maar twee Nederlandse jagers gevechtsklaar. Waar zijn de anderen gebleven?

De 'Evertsen' heeft in de maand februari konvooidienst gedaan en ligt nog in de haven van Tandjong Priok. De Japanners beheersen het luchtruim, zodat het onmogelijk is om het schip op 27 februari, overdag, nog door de Javazee naar Soerabaja te dirigeren. De Combined Striking Force moet het dus zonder de 'Evertsen' doen.

Een andere Nederlandse jager, de 'Van Nes', is op 17 februari in het westelijk deel van de archipel, nabij het eiland Billiton, door Japanse bommenwerpers tot zinken gebracht. Enkele dagen eerder, in de nacht van 14 op 15 februari, is de 'Van Ghent' in hetzelfde zeegebied op een rif gelopen en gezonken. Een vierde jager, de 'Banckert', is op de 24ste van deze maand verloren gegaan: het schip lag in de haven van Soerabaja olie te laden, toen het, tijdens een van de talloze luchtaanval-len, door een near miss zwaar beschadigd werd. Daarbij is een groot gat in het achterschip geslagen. De 'Piet Hein' tenslotte is in de nachtelijke slag onder de Balinese kust door Japanse torpedobootjagers tot zinken gebracht. Zo is in enkele weken, door allerlei oorzaken, een groot deel van de toch al te kleine Nederlandse vloot vernietigd.

Het is de bedoeling van Doorman het invasiekonvooi te onderscheppen, dat, volgens waarnemingen van vliegtuigen die van de vroege middag dateren, tussen de eilanden Borneo en Celebes naar het zuiden stoomt.

Er zijn twee mogelijkheden om dit konvooi op te sporen.

De eerste mogelijkheid is met het eskader naar het noorden te stomen. Dat echter heeft het risico dat het konvooi gemist kan worden. Door de slechte communicatie met de luchtmacht bestaat daar alle kans voor: de gegevens van de luchtverkenning komen wellicht veel te laat binnen.

De tweede mogelijkheid is langs de kust te patrouilleren waar de invasie verwacht kan worden, in de hoop zo op de transportschepen van de tegenstander te stuiten. Het geallieerd opperbevel verwacht dat de landingen plaats zullen vinden op het oostelijk deel van Java's noordkust, of op het vlakke strand van het eiland Madoe-ra, dat even oostelijk van de voornaamste vaarwegen naar Soerabaja ligt. Doorman heeft daarom besloten eerst in oostelijke richting te koersen langs Madoera's noordkust. Daar zal de steven 180 graden gewend worden, zodat men dan langs de noordkust van Madoera en van Java in westelijke richting stoomt.

Als er contact met het Japanse konvooi gemaakt wordt zullen, zo is het plan, de kruisers en de Britse en Nederlandse jagers het vijandelijk escorte van oorlogsschepen aanvallen en tegelijkertijd proberen om het konvooi heen te varen, zodat het geïsoleerd wordt. De Amerikaanse fourstackers zullen, terwijl de Japanse oorlogsschepen door de anderen worden beziggehouden, trachten de troepentransportschepen te torpederen.

Nadat de mijnenvelden zijn gepasseerd wordt de koers dus langs Madoera naar het oosten gelegd. De volle maan verdwijnt af en toe achter wolken. Het zicht is goed: omstreeks 4 mijl, dat is 7 kilometer.

Sommige schepen van Doormans eskader werken voor het eerst in dit internationale verband samen, de ervaring van de anderen in deze coöperatie is minimaal. Het geheel lijkt op een voetbalelftal waarvan de spelers elkaar nog nooit hebben ontmoet, terwijl toch een uiterst belangrijke wedstrijd moet worden gespeeld. Bovendien spreken de spelers verschillende talen, gebruiken verschillende technieken en gebruiken verschillende spelregels. Dit elftal ontmoet een ervaren, goed geoefende tegenstander, die zich jarenlang op dit treffen heeft voorbereid. Zelfs de communicatiesystemen van de geallieerden verschillen, ze zijn ook nauwelijks gerepeteerd.

Gevaren wordt met de bemanningen op stand by gevechtspost, wat wil zeggen dat alle wapens bemand zijn. Aanvankelijk heerst er grote spanning aan boord, maar als er geen spoor van een vijand te ontdekken valt, zakt die spanning snel weg. Allen overvalt een verlammende moeheid. Velen zijn al meer dan vierentwintig uur in touw. De schepen van het eskader die al in Soerabaja gestationeerd waren hebben in de nacht van donderdag 25 februari op vrijdag 26 februari een 'sweep' langs Java's noordkust gemaakt, een patrouillevaart in afwachting van de invasie, zoals die ook deze nacht ondernomen wordt. Anderen, zoals de 'Exeter', zijn in die zelfde nacht uit Tandjong Priok in Soerabaja aangekomen. De gevolgen van de urenlange activiteit blijven niet uit. Het wordt steeds meer merkbaar dat allen doodmoe zijn, sommigen zijn letterlijk de uitputting nabij. Doorman, de man op wie in deze uren alle verantwoordelijkheid rust, bevindt zich op zijn vlaggeschip de 'De Ruyter', het schip dat de kruiserlinie aanvoert. Deze kruiser is weliswaar de grootste en modernste oorlogsbodem van de Nederlandse vloot, maar daarentegen zijn de 'Exeter' en de 'Houston' aanmerkelijk zwaarder bewapend, zelfs als de 'Houston', zoals nu, niet over de achterste geschutstoren beschikt.

De kiel van de 'De Ruyter' was al in 1932 gelegd bij Wilton Feijenoord, maar het duurde door allerlei politieke en financiële problemen tot 1936, voordat het schip was afgebouwd en aan de marine kon worden overgedragen.

Na enkele proefvaarten is de 'De Ruyter' – onder grote belangstelling van de vaderlandse pers – begin januari 1937 uit Nieuwe Diep naar Oost-Indië vertrokken. De kruiser heeft een waterverplaatsing van 6470 ton. Aan boord zijn 437 bemanningsleden. De 'De Ruyter' is een lichte kruiser, die 32 mijlen vaart kan halen en die bewapend is met zeven kanonnen van 15 cm, die in geschutstorens staan opgesteld en met tien Bofors mitrailleurs van 40 mm. Verder is het schip met een katapult uitgerust, waarmee een verkenningsvliegtuig kan worden afgeschoten. Maar dat toestel is op dit ogenblik om verschillende redenen niet aan boord . . . Hoewel de bewapening niet erg sterk kan worden genoemd, is het schip toch heel wat moderner dan de andere Nederlandse lichte kruiser, de 'Java'. Dat schip is aan het eind van de Eerste Wereldoorlog op stapel gezet en in 1921 afgebouwd. Het meet 6670 ton. De bewapening bestaat uit tien kanonnen van 15 cm, die niet in geschutstorens, maar achter schilden zijn geplaatst en uit slechts acht luchtdoelmitrailleurs van 40 mm. Het schip kan 31.3 mijl halen en telt 528 bemanningsleden.

21.00 – Om 9 uur in de avond ontvangt Doorman nog een bericht uit het hoofdkwartier in Bandoeng. Het bevat niet de zo noodzakelijke gegevens van de luchtverkenning, maar is uitsluitend een herhaling van Helfrichs eerste opdracht. „Gij moet de aanvallen voortzetten tot de vijand vernietigd is." Dat bevel lijkt wat optimistisch, de kansen van Doorman liggen bijna uitsluitend in een hit and run aanval, dus een snelle onverwachte aanval in het duister, gevolgd door een snelle terugtocht. Om zo'n aanval te ondernemen moet hij zo nauwkeurig mogelijk de positie van de tegenstander kennen, luchtverkenning is dus van het allergrootste belang. En juist deze gegevens zijn op deze avond geheel afwezig. De schaarse maar uiterst belangrijke berichten, zoals verkenningsgegevens van Amerikaanse Vliegende Forten, die erop wijzen dat zich deze zelfde avond een Japans konvooi benoorden Java bevindt, worden wel aan het hoofdkwartier doorgegeven, maar bereiken Doorman niet.

01.00 – het eskader stoomt daarom blind verder, tot men om ongeveer één uur 's nachts ter hoogte van de oostpunt van het eiland Madoera is gearriveerd. Hier wordt op tegenkoers gegaan. Tegen de dageraad bevindt Doorman zich weer op de hoogte van Soerabaja.

De bemanningen zijn oververmoeid, weer is een nacht volkomen vergeefs en zonder rust verloren gegaan. Toch heeft het hoofdkwartier in deze nacht verscheidene malen verkenningsberichten aan het eskader trachten door te seinen. Zeker is dat gepoogd is dergelijke gegevens al om 10 uur 's avonds vanuit Soerabaja aan de vloot door te geven. Helfrichs hoofdkwartier seinde namelijk verkenningsberichten door om half elf in de avond en om ongeveer 2 en 3 uur 's nachts. Het feit dat Doorman zijn sweep eerst in oostelijke richting boven Madoera inzet en daarna in westelijke richting benoorden de kust van Java voortgezet heeft, maakt het zeer waarschijnlijk dat hij deze radioberichten nooit heeft ontvangen.

Tegen het gloren van de ochtend vraagt hij wederom dringend om bescherming in de lucht door jachtvliegtuigen: bij dageraad zijn immers weer luchtaanvallen te verwachten.

08.00 – Maar tegen acht uur krijgt hij bericht dat hij niet op luchtsteun hoeft te rekenen: er zijn geen geallieerde jachtvliegtuigen voor dit doel beschikbaar, aldus ABDAair.

09.00 – Een uur later verschijnen er wel enige vliegtuigen boven het eskader, maar het zijn Japanse toestellen. Er worden enige bomaanvallen gedaan, maar de aanval is zwak en kan gemakkelijk worden ontweken. Van groter belang is dat de tegenstander hiermee de geallieerde vloot heeft ontdekt en deze met verkennings-   59 vliegtuigen zal blijven schaduwen: de Japanse Marine kent nu nauwkeurig de sterkte en de koers, en kan deze volledig in zijn plannen verdisconteren.

09.30 – Doorman koerst verder in westelijke richting, totdat hij zich omstreeks half tien in de morgen ter hoogte van Rembang bevindt. De vulkaan Moeriah vormt hier voor hem een duidelijk herkenningsteken. Op dit punt wordt wederom op tegenkoers gegaan. Het eskader keert terug in de richting Soerabaja.

10.00 – Ongeveer een half uur later volgt een nieuw bericht uit Bandoeng. Helfrich seint zijn onveranderd bevel: „Ondanks luchtaanvallen moet gij de vijand om de oost zoeken en aanvallen."

12.00 – Omstreeks twaalf uur volgt Doormans antwoord. Hij meldt dat hij om de oost de vijand zonder succes heeft proberen op te sporen. „Het succes van de actie hangt geheel af van goede verkenningsberichten, welke mij in de afgelopen nacht ontbraken."

12.30 – Een half uur later vult hij deze berichten nog aan met de mededeling, dat het uithoudingsvermogen van de bemanningen aan een uiterste grens gekomen is, die snel zal worden overschreden. Doorman is niet de enige die dit opmerkt, de Amerikaanse oorlogsverslaggever George Weller, die aan boord van een van de schepen is, valt het ook op dat de mensen afgemat zijn. Ze turen onverschillig naar een Japanse vliegboot, die, op grote hoogte, onbereikbaar voor de luchtafweer, het eskader schaduwt. De meesten zijn nu al ongeveer veertig uur onafgebroken in actie, zonder de mogelijkheid om ook maar enige rust te nemen. Gebrek aan slaap en drukkende hitte beginnen steeds zwaarder te wegen.

Doorman besluit Soerabaja binnen te lopen om olie te laden, de voorraden zijn bedenkelijk gering. Bovendien is aan boord van alle schepen de proviand mondjesmaat. De eskadercommandant is van plan binnen de bescherming van de mijnenvelden voor anker te gaan om, na voorraden te hebben ingenomen, in de nacht een nieuwe patrouilletocht langs de kust te ondernemen. Langzaam, om olie te sparen, stoomt het eskader naar zijn basis terug.

14.15 – Om kwart over twee in de middag stoomt Doorman door de geulen in de mijnenvelden voor het Westerwater, een van de toegangswegen naar de haven van Soerabaja. De eerste torpedobootjagers zijn juist de vaargeul binnengekomen, als de 'De Ruyter' plotseling van koers verandert en afdraait naar het noorden. Doorman seint 'Volg mij'. De overige schepen voeren de koersverandering in ongeveer een kwartier uit. Daarna seint Doorman verdere gegevens.

Door de luchtverkenning is een transportvloot gemeld, ongeveer honderd mijl benoorden Soerabaja. Behalve transportschepen is ook een escorte van oorlogsschepen gesignaleerd, maar zowel aantal als sterkte van de schepen zijn nog onduidelijk. Het gaat om ongeveer 45 transportschepen, die over een tweetal konvooien zijn verspreid, namelijk een groep van 20 vaartuigen met een onbekend aantal oorlogsbodems ongeveer 70 mijl ten noordwesten van het eiland Bawean en een groep van 25 transportschepen, die zich omtrent 20 mijl ten westen van dit eilandje in de Javazee bevindt. Zij worden door een escorte van twee of drie kruisers en een aantal jagers vergezeld.

In ieder geval is de situatie nu een stuk helderder: er zijn Japanse transportschepen en oorlogsbodems in de Javazee, op slechts enkele uren varen van Java's noordkust. Het escorte van oorlogsschepen lijkt niet al te sterk. Deze berichten zijn voor Doorman voldoende om van zijn plan in Soerabaja te bunkeren en uit te rusten af te zien. De geallieerde schepen stomen nu in noordwestelijke richting: Koers 300, Vaart 25. De snelheid van het eskader wordt tot 25 mijl beperkt, omdat de Nederlandse jager 'Kortenaer' slechts twee van de drie ketels kan gebruiken. Reparatie daarvan in Soerabaja is door de vele bombardementen onmogelijk geweest. Het gevolg is dat het kreupele schip zijn eigenlijke snelheid (34 mijl) niet kan halen, waardoor het gehele eskader gehinderd wordt. Maar, gezien de toch al minimale sterkte van zijn strijdkrachten, kan Doorman deze 1326 ton metende jager, met zijn vier kanonnen van 12 cm, zijn twee luchtdoelkanonnen van 7,5 cm, zijn vier mitrailleurs en zijn zes torpedolanceerbuizen, niet missen.

14.30 – Om ongeveer half drie liggen het geallieerde en het Japanse eskader nog circa negentig mijl uit elkaar. Daar het volgend half uur nog geen contact te verwachten is, wordt aan boord van de geallieerde schepen van de gelegenheid gebruik gemaakt om de bemanningen thee te laten drinken met een boterham. Natuurlijk verslapt de waakzaamheid ondertussen geen moment, de bemanningen van het luchtdoelgeschut moeten zelfs tijdens deze pauze nog een paar salvo's afgeven op enkele Japanse vliegtuigen.

15.30 – Om ongeveer half vier zijn alle gevechtsposten weer volledig bemand. De zee is kalm, het zicht is goed.

16.12 – Om twaalf over vier meldt de 'Electra' als eerste dat er schepen in zicht komen. Even later ziet ook de uitkijk van de 'Exeter' vele masten vooruit. Dan verschijnen er steeds meer aan de horizon. Het vlaggeschip 'De Ruyter' waarschuwt allen per ultrakorte golf: vele schepen op 2 streken stuurboord. Via de luidspreker is het bericht tot in alle hoeken van de schepen te horen. De vele masten doen eerst de hoop rijzen dat het hier uitsluitend om een transportvloot gaat. Het blijkt al gauw, als de afstand tussen de twee eskaders verminderd is tot twintig mijl, dat er een dertigtal masten is. En het zijn niet de masten van een transportvloot maar van een eskader van de Japanse Marine.

De Japanse strijdmacht bestaat uit twee zware kruisers 'Nachi' en 'Haguro', die 13.000 ton meten, en elk over tien kanonnen van 20 cm beschikken. Daarnaast zijn ze bewapend met acht stukken van 12 cm en met acht torpedolanceerbuizen. De kruisers hebben een bemanning van 700 koppen. Het eskader omvat verder twee lichte kruisers van de Sendai klasse. Deze lichte kruisers, de 'Naka' en de 'Jintsu', meten 5850 ton. Ze hebben elk zeven kanonnen van 15 cm en acht torpedolanceerbuizen en een bemanning van 450 man. Het eskader telt voorts nog veertien grote torpedobootjagers van de Asashio klasse.

Op de Japanse schepen is vrijwel tegelijkertijd de geallieerde vloot herkend. Uitkijkposten in de grote mast van de 'Nachi' en de 'Haguro' zien allereerst de vreemd gebouwde navigatiebrug van de 'De Ruyter' dreigend boven de horizon opdoemen. In de lucht hangen de zware bloesemgeuren van het nabije Java. Gehelmde matrozen in witte werkpakken stromen tezamen bij de Shinto altaren en binden de traditionele Hachimahiband strak om het voorhoofd. Officieren in smetteloos witte uniformen en baseball petten staan op de brug en turen in het duister naar de vijand. Vlaggeschip van de Japanse formatie is de 'Nachi'. Aan boord is eskadercommandant admiraal Takagi. De 50-jarige Takeo Takagi heeft als eerste en belangrijkste opgave de bescherming van de transportschepen. Hij ziet zich nu onverwacht geplaatst voor het feit dat hij in een confrontatie met een vijandelijk eskader oorlogsbodems wordt betrokken.

Takagi geeft order om de afstand tot het vijandelijk eskader te verkleinen. Op 27.000 meter afstand vraagt zijn chef staf, kapitein Ko Nagasawa, verlof het vuur te openen. Takagi knikt.

Aan boord van het Japanse eskader is men op dat ogenblik aardig op de hoogte van de samenstelling van de geallieerde formatie. De vijandelijke vloot ligt al geruime tijd onder de observatie van drie vliegboten. Zij melden elk koersverandering en zij kunnen vanuit hun positie ook het vuur van de Japanse schepen leiden. Dat bevordert de nauwkeurigheid van dat vuur aanzienlijk. Aan geallieerde zijde moet men deze duidelijke gegevens over de tegenstander en over zijn koersveranderingen missen.

16.00 – Bij zijn laatste contact met de luchtmachtautoriteiten in Soerabaja, waarbij hij nogmaals om luchtsteun vraagt, krijgt Doorman definitief te horen dat ABDAair de nog resterende toestellen uitsluitend op eigen initiatief wil inzetten voor een bomaanval op de Japanse scheepsformaties. Doorman zal het verder geheel zonder gegevens van de luchtverkenning en zonder bescherming van jachtvliegtuigen moeten doen. De sterkte van de tegenstander wordt door de bemanningen van de geallieerde schepen verschillend beoordeeld. Over het aantal oorlogsbodems kan men zich niet gauw vergissen. Toch verkeert de bemanning van de 'Kortenaer' in de mening dat de Japanse vloot minstens tweemaal zo sterk is. Over de scheepstypen in de vijandelijke formatie heerst nog de grootste onzekerheid.

Aan boord van de fourstacker 'Ford' meent matroos Harmon, de man in de uitkijk, twee slagschepen te zien plus zeven lichte kruisers. Ook de bemanning van de 'Edwards' denkt twee slagschepen waar te nemen. Op de 'De Ruyter' telt men zes kruisers, waaronder twee zware.

In werkelijkheid zijn de verschillen tussen de beide formaties heel wat minder groot. De Japanse strijdkrachten hebben wel op verschillende punten enkele duidelijke voordelen. Zo hebben de twee zware kruisers tezamen twintig kanonnen van 20 cm. Door het feit dat de 'Houston' de achterste geschutstoren verloren heeft, telt de geallieerde vloot slechts twaalf kanonnen van dit zware kaliber. Dat wil zeggen dat bij een gevecht op lange afstand, waarbij uitsluitend van de zwaarste kanonnen die een dergelijke afstand kunnen overbruggen, gebruik kan worden gemaakt, de Japanse vloot aanzienlijk in het voordeel is. Doorman zal er dus naar moeten streven de afstand tussen de formaties zodanig te verkleinen, dat ook zijn middelzware geschut een aandeel in de strijd kan leveren.

Voorts hebben de Japanse schepen heel wat meer lanceerbuizen. Behalve de torpedobootjagers zijn ook de kruisers hiermee bewapend. Van de geallieerde kruisers zijn uitsluitend de 'Perth' en de 'Exeter' met torpedo's uitgerust. In totaal hebben de Japanse schepen 130 torpedobuizen en de geallieerden 86.

De kwaliteit van het materiaal speelt uiteraard ook een rol. Zo zijn de lichte kruisers 'De Ruyter' en 'Perth' moderner dan de Japanse 'Naka' en 'Jintsu'. De

Japanse Marine beschikt daarentegen over een moderne torpedo met een bijzonder grote reikwijdte. De geallieerde torpedo's, speciaal de Amerikaanse, zijn aanzienlijk minder betrouwbaar.

Ongeveer een minuut later dan zijn collega Ko Nagasawa aan boord van de 'Nachi' besluit Oliver Gordon, commandant van de Britse zware kruiser 'Exeter', het vuur te openen. Hij heeft hiervoor eerst gewacht op een bevel van eskadercommandant Doorman, maar dat bevel komt niet. Gordon is er zich van bewust dat de 'De Ruyter' zelf over minder zwaar geschut beschikt, zodat dit schip nog niet aan het gevecht kan deelnemen: de afstand is voor het geschut nog te groot.

16.16 – Omdat hij zich niet als doelwit wil laten gebruiken, geeft Gordon zijn bevel: open vuur, zodra gereed. De afstand tussen de formaties is dan circa 26.000 meter geworden. Vanaf de 'Exeter' zijn twee lichte kruisers en twaalf torpedobootjagers verkend, ze stomen in linie: een kruiser met zes jagers, dan een tussenruimte, en dan weer een dergelijke flottille.

De 'Exeter' kiest als doel de voorste lichte kruiser. Er wordt een tiental salvo's afgegeven met de twee voorste geschutstorens. Boven de kalme zee hangen al snel zware rookkolommen, die het zicht beginnen te belemmeren. Bovendien legt de Japanse kruiser die met de 'Exeter' in duel is, een rookscherm. De 'Exeter' heeft in dit gevecht geen enkele treffer geplaatst, mogelijk omdat ten gevolge van de rustige zee en de grote afstand de snelheid van de tegenstander onderschat is.

Vervolgens wordt het vuur door Gordon naar de andere kruiser verlegd, maar ook deze trekt zich, na een tiental salvo's, achter een rookgordijn terug. Desondanks meent de bemanning van de Britse kruiser de oranjegele flits van een treffer te hebben waargenomen, maar zekerheid hierover krijgt men niet.

Ook de 'De Ruyter', 'Houston', 'Perth' en 'Java' raken in artillerieduels gewikkeld. Alle torpedobootjagers hebben zich bij het begin van het gevecht naar de bakboordzijde van de kruiserlinie begeven, om buiten de vuurlinie van de eigen schepen te blijven.

Op de brug van de 'Exeter' staande, ziet Gordon vervolgens in het noordnoordoosten de masten van twee zware kruisers van de Ashigura klasse opdoemen, 12.000-tonners, waarvan hij weet dat zij elk met tien kanonnen van 20 cm zijn bewapend. De voorste van dit tweetal blijkt al in een vuurgevecht met de 'Houston' te zijn, die de derde plaats in Doormans linie inneemt. Gordon besluit daarom de achterste van deze twee zware kruisers onder vuur te nemen. Dat brengt het bezwaar met zich mee dat het vuur van de geallieerde schepen elkaar kruist. Voor de vuurleiding van de 'Exeter' en 'Houston' geeft dat moeilijkheden bij de identificatie van de eigen ontploffende granaten, totdat men zich op de 'Exeter' realiseert dat de 'Houston' granaten afschiet waarvan de lading met een rode verf gekleurd is. Aan boord van de Japanse 'Nachi' maken de rode waterkolommen die door Houston's ontploffende granaten worden opgeworpen, vooral op de jongere en nog onervaren manschappen een benauwende indruk. Bij dit duel zijn de Japanse kruisers duidelijk in het voordeel, zij kunnen hun twintig kanonnen van 20 cm stellen tegenover slechts twaalf geallieerde.

Ondertussen stoomt Doormans formatie nog steeds in noordwestelijke richting. Het Japanse vlooteskader kruist in westzuidwestelijke richting, zodat de koersen vrijwel loodrecht op elkaar staan. Bij een voortzetting van deze koers zal de geallieerde formatie duidelijk in het nadeel komen. Want, tenslotte zullen de koersen van beide eskaders elkaar kruisen, waarbij de Japanse schepen vóór de kiellinie van de geallieerde oorlogsbodems zullen passeren. Dat levert een situatie op die in de leerboeken over tactiek bekend staat als de 'crossing of the T', waarbij Doormans eskader de poot van de letter T vormt. Het gevolg daarvan zal zijn dat, op het moment waarop het Japanse eskader voorlangs Doorman kruist, deze uitsluitend zijn voorste geschutstorens zal kunnen gebruiken. Daarentegen kunnen de Japanse oorlogsbodems op hetzelfde ogenblik al hun geschut inzetten, waarmee ze dus belangrijk in het voordeel zullen zijn.

Doorman, op de brug van de 'De Ruyter' naast de commandant van zijn vlaggeschip, de 45-jarige kapitein ter zee Lacomblé staande, overziet deze dreigende situatie en laat zijn formatie 20 graden naar bakboord draaien. Zijn tegenspeler, Takagi, voert daarop ook een koerswijziging uit, waardoor beide eskaders op een vrijwel parallelle westelijke koers komen te liggen. De afstand is ondertussen zodanig verminderd dat alle kruisers aan het vuurgevecht kunnen deelnemen. Links en rechts van de kruisers in beide linies vallen granaten en spatten waterkolommen omhoog die over de dekken spoelen. Over de zee hangen zware rookwolken. De jagers van beide partijen stomen aan de zijde die van de vuurlinie is afgekeerd. Zij zijn nog niet in het duel betrokken en volgen met spanning het verloop van het gevecht. Aan boord van de kruisers veroorzaken de harde klappen van het eigen geschut in deze minuten de eerste schade. De inhoud van de hutten wordt uit elkaar geslagen. Ook de hut aan boord van de 'Houston', die in gelukkiger dagen als verblijf voor Roosevelt diende tijdens zijn zomercruises wordt flink beschadigd: het meubilair ligt schots en scheef door elkaar.

Aan boord van de geallieerde schepen bestaat de indruk dat het vuur van de tegenstander zeer nauwkeurig is. De salvo's vallen soms nauwelijks enkele meters van hen vandaan. Ongetwijfeld speelt daarbij niet alleen de grondige training van de Japanners een rol. De twee verkenningsvliegtuigen die boven het strijdtoneel aanwezig zijn, kunnen nauwkeurig waarnemen hoe de salvo's terechtkomen en dit onmiddellijk aan de vuurleiding aan boord van de schepen doorgeven, zodat deze gegevens in de berekeningen kunnen worden verwerkt.

16.30 – Om even over half vijf krijgt de 'De Ruyter' een voltreffer. Een granaat van 20 cm, die niet ontploft, slaat aan stuurboordzijde in, gaat door de Dieselkamer, vervolgens door een centrale, en komt dan door een pompkamer waar een aantal koolzuurflessen uit elkaar spat. Daarna verdwijnt de blindganger in een oliebunker. De uiteenspattende koolzuurcilinders veroorzaken een fikse schade. Verder wordt een olieleiding kapotgeslagen, waardoor hete olie in de pompkamer stroomt. Een man, stoker-olieman Hassink, wordt op slag gedood, enkele anderen raken zwaargewond. De hete olie veroorzaakt ernstige brandwonden. De schade aan het schip valt mee. Een reparatieploeg weet snel de gewonden te bergen en herstelt provisorisch enkele leidingen. Kort daarop slaat wederom een projectiel in, dat ook niet ontploft. Deze granaat slaat door een manschappenverblijf. Dan volgt een derde blindganger, die de ziekenboeg doorboort. Ondanks deze treffers heeft de 'De Ruyter' nauwelijks problemen, vitale delen zijn er niet getroffen.

64   Ook de 'Houston' en de 'Perth' krijgen een paar treffers te verwerken. Geen van de

De lichte kruiser 'Tromp', een van de modernste eenheden van het Nederlands-Indisch eskader.

De Britse kruiser 'Exeter', wereldberoemd geworden na het gevecht met het Duitse vestzakslagschip 'Admiral Graf Spee' in december 1939.

Voordat de Combined Striking Force de haven van Soerabaja verlaat, vindt in het
ANIEM gebouw een laatste bespreking plaats. Doorman geeft een overzicht van de
situatie.

Een Dornier Do 24 K verkenningsvliegboot van het Nederlands-Indisch eskader. De
maximumsnelheid was 330 km/uur, het vliegbereik 3600 km. De Do 24 werd door
Aviolanda in Papendrecht voor de marine in licentie gebouwd. Tijdens de slag in de
Javazee kon Doorman niet over deze toestellen beschikken.

De torpedobootjager 'John D. Ford', in 1941 volledig verouderd . . .

De lichte kruiser 'De Ruyter', het vlaggeschip van Doorman.

De 'Haguro', een zware kruiser van de Ashigura klasse.

De 'Jintsu', een lichte kruiser van de Sendai klasse.

Hr. Ms. 'De Ruyter' in actie: salvo's over stuurboord.

schepen wordt daardoor wezenlijk beschadigd en aan gevechtswaarde wordt dan ook niets ingeboet.

16.35 – Even over half vijf, nadat de 'De Ruyter' blindgangers heeft verwerkt, verlegt Doorman zijn koers enkele graden naar stuurboord, met de bedoeling de tegenstander dichter te naderen. Takagi beantwoordt deze dreiging met een torpedoaanval. De jagers zwenken op zijn commando naar bakboord, in de richting van de geallieerde vloot. Hierdoor komen de jagers ook onder het vuur van de geallieerde formatie te liggen. Een van de jagers, de 'Mineguma', loopt een treffer op. Na het lanceren van de torpedo's trekken de Japanse jagers zich weer snel, onder de bescherming van een rookgordijn, terug.

In totaal worden ongeveer 40 torpedo's gelanceerd en wel van een afstand van ongeveer 16.000 yards. Deze torpedo's zijn eerst sinds kort door de Japanse marine geperfectioneerd, ze zijn uiterst modern, worden aangedreven met zuurstof en hebben een zeer grote reikwijdte. Het is een wapen, waarvan Takagi alle bijzonderheden en mogelijkheden volledig beheerst: hij heeft dertien jaar lang bij het onderzeebootwapen gediend.

Geen van de gelanceerde torpedo's treft echter doel. Een aantal is blijkbaar verkeerd afgesteld, ze ontploffen voortijdig in het zeegebied tussen beide eskaders. Dat veroorzaakt in beide kampen verwarring. De geallieerden vermoeden dat de waterkolommen, die door de ontploffende torpedo's worden opgeworpen, veroorzaakt worden door een aantal Japanse onderzeeboten. Zij komen tot de conclusie dat deze ergens in het gevechtsterrein op de loer liggen, klaar om hun slag te slaan. Maar de Japanse marineofficieren zijn niet minder ongerust: zij schrijven de waterfonteinen toe aan zeemijnen, die door de geallieerden tot ontploffing worden gebracht. In deze zelfde periode wordt de Japanse formatie, zonder dat dit aan Doorman bekend is, gebombardeerd door een klein aantal Amerikaanse vliegtuigen, afkomstig van een basis op Java. In feite gaat het slechts om een drietal bommenwerpers, die door tien jachtvliegtuigen worden beschermd. Succes heeft de luchtaanval niet.

Ondertussen stomen beide eskaders onder voortdurend geschutsvuur verder. Aan boord van de geallieerde vloot meent men treffers op de vijand waar te nemen. Zo zien Gordon en zijn officieren, op de brug van de 'Exeter' staande, een van hun granaten uiteenspatten op hun tegenstander. Een felle oranjegele lichtflits wordt gevolgd door een geelachtige rookkolom. Ook op de 'De Ruyter' meent men voltreffers op een van de vijandelijke kruisers te kunnen noteren. Deze treffers hebben echter, tot die conclusie moet men komen, geen doorslaand effect: geen van de tegenstanders komt erdoor in ernstige moeilijkheden, allen zetten de strijd voort.

16.30 – 17.00 – Inderdaad moeten tussen half vijf en vijf uur zowel 'Nachi' als 'Haguro' enkele treffers incasseren, waardoor enige schade ontstaat, die de nauwkeurigheid van het eigen vuur vermindert. De koers van beide formaties is nu zodanig, dat men geleidelijk aan de Japanse transportvloot begint te naderen.

17.00 – Dit gevaar doet Takagi, die een torpedoexpert is, besluiten nogmaals naar dit wapen te grijpen. Wederom draaien de torpedobootjagers scherp naar de vijand toe. Niet alleen de jagers, maar ook de kruisers lanceren nu torpedo's. Niet minder dan 68 torpedo's zullen in de komende minuten op de geallieerde schepen worden afgevuurd. Ook het geschutsvuur gaat voort. De 'Exeter' krijgt omstreeks vijf uur een granaattreffer (of een near miss, dat blijft onduidelijk) achteruit te verwerken. De explosie geeft de opvarenden een ogenblik lang de indruk, zowel omhoog als opzij te worden gedrukt. Veel schade is er niet, er lopen alleen enkele compartimenten vol.

17.08 – Een paar minuten later, het is dan acht over vijf, incasseert de 'Exeter' een nieuwe treffer. Een 20 cm granaat van de 'Nachi' afkomstig, doorboort de pantserplaat van de 10 cm luchtafweeropstelling. Vier bemanningsleden worden op slag gedood. Het projectiel dringt vervolgens door in een ketelruimte. Daar explodeert het. Alle in dit ketelruim aanwezige personen, dat zijn tien mannen, vinden door deze explosie de dood. Voorts wordt de hoofdstoomleiding getroffen, waardoor zes van de acht stoomketels vrijwel onmiddellijk uitvallen. Oververhitte stoom en rook ontsnappen onder een oorverdovend geraas uit de veiligheidspijpen. Door dat stoomverlies wordt de elektrische stroomvoorziening verbroken en dat heeft weer het gevolg dat de bewapening uitvalt. Bovendien valt de snelheid van het schip snel terug van 26 tot nauwelijks 11 mijl.

Op het ogenblik waarop de 'Exeter' deze treffer ontvangt, vaart het schip nog steeds als tweede in de kruiserlinie. Het ligt daarbij niet recht achter, maar enigszins aan stuurboordzijde van het leidende schip, de 'De Ruyter'. Door het plotselinge verlies aan snelheid kan de 'Exeter' deze positie in Doormans kruiserlinie niet handhaven. Ook bestaat er groot gevaar op een aanvaring met de achter haar stomende kruisers, met name met de haar volgende 'Houston'. Gordon geeft daarom bevel om langzaam naar bakboord af te draaien. Hij verwacht, dat hij zo de kruiserlinie kan verlaten, terwijl de overigen dan op hun koers kunnen blijven. Maar dat is niet het geval.

Kapitein Rooks, op de brug van de 'Houston' staande, ziet deze manoeuvre en concludeert dat deze koerswijziging door Doorman bevolen is. De 'Houston' draait op zijn bevel eveneens af naar bakboord. De laatste twee schepen van de kruiserlinie, de 'Perth' en de 'Java', volgen daarop dit voorbeeld. Ook de torpedobootjagers voeren dezelfde koersverandering uit. Alleen het vlaggeschip stoomt nog enige tijd op de oude koers voort, maar zodra Doorman de situatie doorziet, gaat hij snel op tegenkoers om zich weer bij de overigen te voegen. Bij deze manoeuvre wordt de 'Exeter' door de 'De Ruyter' op korte afstand gepasseerd. De eskadercommandant gebruikt deze gelegenheid om naar de opgelopen schade te laten informeren. Gordon geeft zijn chefseiner naast hem op de brug het bevel te antwoorden: „Getroffen in een van de ketelruimen, maximum vaart vijftien knopen." De seiner herhaalt dit bericht bovendien ter informatie van de andere kruisers.

Doorman draagt Gordon op het eskader te verlaten en naar Soerabaja terug te keren. De Nederlandse jager 'Witte de With' krijgt terzelfdertijd de order de beschadigde 'Exeter' op zijn eenzame tocht naar deze haven te begeleiden. Herstelploegen op de beschadigde kruiser weten de elektrische stroomvoorziening weer op gang te brengen, zodat het geschut weer in actie kan komen. De snelheid kan geleidelijk tot zestien mijl worden opgevoerd.

Ondertussen is de tegenstander bezig zijn torpedo-aanval door te zetten. Zowel op de 'Ford', 'Edwards', 'Jupiter' als de 'Exeter' en de 'Witte de With' worden de bellenbanen van de gelanceerde en op het eskader afstormende torpedo's gezien. De bellenbanen lopen soms vlak voor of achter de schepen door. Ook deze torpedo's blijken weer aan het eind van hun baan te ontploffen. De daardoor veroorzaakte waterzuilen vergroten de verwarring die nu in dit met rook overdekte zeegebied heerst. Aan boord van de geallieerde formatie vermoedt men wederom dat deze torpedo's afkomstig zijn van een linie onderzeeboten, die, zo meent men, als een extra bescherming voor de Japanse transportvloot dient.

17.15 – Enkele minuten later, om kwart over vijf, wordt de torpedobootjager 'Kortenaer' midscheeps door een torpedo getroffen. ,,Ik bevond me op dat ogenblik op de bovenbrug, waar ik als hulpvuurleider mijn alarmpost had. Ik greep mij vast aan het stalen scherm voor mij, daar ik na den ontzettenden slag en de waterzuil het schip onder mij met een ruk naar stuurboord voelde overhellen. Aan het stalen windscherm tussen mijn handen voelde ik hoe het schip brak, het kraken der stalen platen ging mij letterlijk door merg en been. De uitkijk in de mast werd in een wijden boog in zee geslingerd." (Van Heurn).

Binnen vijftien seconden breekt de 'Kortenaer' volledig doormidden, waardoor het voor- en achterschip loodrecht naast elkaar in het water komen te staan. Boeg, roer en schroeven steken boven water uit. Door de explosie zijn de nevelapparaten gaan werken, er hangen dikke witte wolken boven het wrak. In het water drijven lijken in hun zwemvesten, overlevenden zoeken een plaats op de ronddrijvende reddingsvlotten. Anderen hangen met lijnen aan de delen van het wrak. Het zeewater is met een dikke laag stookolie bedekt. Dan valt het achterschip op zij en zinkt snel weg. Het voorschip blijft wat langer drijven.

Op de reddingsvlotten gezeten of drijvend in de olielaag zien de overlevenden het verdere verloop van de strijd. Ze zijn ervan overtuigd door een onderzeeboot getorpedeerd te zijn. Temidden van het daverend geweld en de voortdurende lichtflitsen van het geschut zien zij, of menen zij te zien, hoe twee of drie Japanse jagers, evenals de 'Kortenaer', doormidden breken en zinken. Dan verdwijnen de strijdende schepen uit hun gezichtsveld. Het wordt stil rondom de drenkelingen, en het is de vraag of iemand zich iets van hun lot zal aantrekken.

De eskadercommandant staat voor de moeilijke taak, om, midden in een vuurgevecht met een tegenstander, zijn in wanorde geraakte formatie opnieuw in slagorde te scharen.

Tijdens de formatie van de nieuwe linie krijgt de 'Houston' bovendien enige treffers te verwerken. Zij wordt in het voorschip geraakt door een 20 cm granaat, die dwars door het schip slaat, zonder te exploderen. Vervolgens slaat een ander projectiel, wederom een blindganger, op het achterschip in. De scheepswasserij wordt vernield en er barsten enkele olietanks. Ernstige schade blijft echter uit. De 'Houston', het enige schip met 20 cm geschut, dat in Doormans eskader nog over is, vuurt in hoog tempo verder. De munitie in het voorste magazijn is vrijwel verbruikt, zodat de mannen midden in het gevecht, in de geweldige hitte en onder het hels lawaai van het zware geschut, vanuit het magazijn onder de niet meer   67 bruikbare toren 3 op het achterdek de granaten van hand tot hand moet doorgeven. Ondanks alle inspanning is Doorman, met slechts zes kanonnen van 20 cm, tegenover het Japanse eskader met twintig stukken geschut van dit kaliber, nu wel ernstig in het nadeel gekomen.

Om het eskader te beschermen leggen de Amerikaanse fourstackers een rookscherm. Doorman stoomt, met de kruisers in linie achter zich, eerst enige minuten in zuidoostelijke richting en verlegt vervolgens de koers naar het noorden.

17.30 – Dan geeft hij de Britse torpedobootjagers 'Electra' en 'Encounter' de opdracht een tegenaanval in te zetten. De derde Britse jager, de 'Jupiter', blijft in de omgeving van de 'Exeter', die nog achter het eskader aanstrompelt, om deze te beschermen en in te nevelen. De tegenaanval wordt uitgevoerd op een moment waarop zware rookwolken het zicht ernstig belemmeren. De twee Britse jagers stomen de rookschermen in. De 'Encounter' lanceert vier torpedo's, die hun doel missen en keert vervolgens naar het eskader terug.

De tweede Britse jager treft een ander lot. Het communiqué van de Britse Admiraliteit dat later zal worden gepubliceerd, drukt dat in dramatische bewoordingen uit: de 'Electra' werd nimmer meer gezien. Bemanningsleden vertellen dat de 'Electra', na door het rookscherm gestoten te zijn, op een afstand van 5500 meter drie Japanse torpedobootjagers in zicht kreeg, waarop onmiddellijk enkele salvo's werden afgegeven. De Japanners vuurden terug, waarbij er een voltreffer in een ketelruim van de 'Electra' terechtkwam. Ketel en leidingen werden zo volkomen vernield dat het schip binnen enkele minuten stil kwam te liggen. De bemanning maakte al aanstalten het schip te verlaten, toen er een Japanse jager naderde die granaten in het stilliggende geallieerde schip begon te pompen. Aanvankelijk werd, zij het sporadisch en ongecoördineerd, nog teruggevuurd. Maar de 'Electra' was verloren. Overlevenden trachtten het brandende wrak op vlotten of ander drijvend materiaal te verlaten. De 'Electra' zakte naar bakboord, kapseisde en zonk langzaam in de diepte weg. Dat was om ongeveer zes uur in de avond. Een groot aantal doden en gewonden verdween met het schip onder de golven. In de vroege ochtend van de volgende dag, de 28ste februari, komt plotseling de Amerikaanse onderzeeboot S 38 aan de oppervlakte en redt 54 overlevenden.

17.48 – De kruiser 'Naka' zet met vijf torpedobootjagers een nieuwe torpedoaanval in. In een tijdsbestek van twintig minuten zullen enkele tientallen torpedo's op het geallieerde eskader worden afgevuurd.

De Australische 'Perth' die de Japanse aanval ziet naderen, opent het vuur en treft een van de jagers, de 'Asagumo'. Er slaat een granaat in de machinekamer, waardoor vier mannen sneuvelen en tien andere gewond raken. De Japanse jager wordt door deze treffer voor ongeveer drie kwartier buiten gevecht gesteld. Dan zijn er voldoende noodreparaties verricht om het schip weer in het gevecht te brengen.

De Japanse torpedoaanval mislukt: alle torpedo's missen hun doel.

17.45 – Doorman is nog steeds niet op de hoogte van het feit dat hij ook de 'Electra' verloren heeft. Hij heeft zijn verzwakte eskader opnieuw weten te formeren. Alle kruisers – op de kreupele 'Exeter' na – stomen weer in linie achter de 'De Ruyter'. Doormans eskader stoomt eerst korte tijd in zuidelijke richting en zwenkt vervolgens negentig graden in oostelijke richting. Op deze koers, tegengesteld aan die van

68

de Japanse formatie, gaat het vuurgevecht onverminderd voort. Op een afstand van bijna 21.000 meter worden verscheidene treffers geboekt, hoewel de tegenstander hier niet in het minst door aangeslagen lijkt te zijn. Hij vuurt in onverminderd tempo verder.

17.52 – Om acht minuten voor zes seint Doorman aan Helfrich een kort bericht, dat deze een overzicht van de situatie moet geven: ,,'Kortenaer' sunk, 'Exeter' damaged. The fight goes on. Position 06.15 S, 112.27 E." Van het verlies van de 'Electra' is hem dus nog steeds niets bekend.

18.00 – Het is zes uur, als Doorman met de handlamp – want de radio verbinding is door de zware trillingen door het geschutsvuur beschadigd – aan zijn commandanten laat seinen ,,All ships – follow me." Dat is het signaal, dat later – abusievelijk – als "Ik val aan, volgt mij" in de publiciteit zal komen. Enkele minuten later vraagt hij de vier Amerikaanse jagers een nieuwe tegenaanval te ondernemen. Kort daarop wordt deze order herroepen, met het bevel een rookscherm te leggen. Dan seint Doorman "Dek mijn aftocht."

De fourstackers bevinden zich op dat moment tussen de beide kruiserlinies. Binford, de commandant van het bejaarde flotille, komt tot de conclusie dat de beste verdediging op dat ogenblik de aanval is. Hij zwenkt met het flotille scherp naar stuurboord en stoomt met hoge snelheid in de richting van de vijandelijke formatie, tot de afstand circa 10.000 meter is geworden. Dan geeft hij bevel alle torpedo's te lanceren. In de volgende minuten jagen 24 torpedo's op de Japanse formatie af. Vervolgens stomen de schepen weer achter de hoofdmacht aan om zich hierbij aan te sluiten. Alle Amerikaanse torpedo's missen echter hun doel.

18.15 – Op de 'Perth' ziet men de beide zware Japanse kruisers op een afstand van ongeveer 18.000 meter. Het vuur dat op een van deze schepen wordt geopend, is na enkele salvo's dekkend en er worden een of twee treffers waargenomen, die een fikse brand met zware rookontwikkeling teweegbrengen. De Japanse kruisers trekken zich daarop achter een nevelscherm terug. De oorzaak van de felle brand is een voltreffer op een zich aan boord bevindend verkenningsvliegtuig. Het toestel wordt totaal vernield, maar daar blijft het bij: de bemanning weet het vuur snel te bedwingen en de schade aan het schip zelf is gering.

18.21 – Om negen minuten voor half zeven gaat de zon onder. Het zicht, toch al bemoeilijkt door de rook- en nevelsluiers die over de golven hangen, vermindert nu snel.

18.30 – In de vallende duisternis beginnen de eskaders elkaar uit het gezicht te verliezen. Doormans bewegingen worden, zolang het maar enigszins mogelijk is, door Japanse verkenningsvliegtuigen in de gaten gehouden. De geallieerde kruisers, nog steeds ongeveer op tegenkoers varend, houden nog korte tijd vuurcontact met de tegenstander.

18.57 – In zijn rapport aan het hoofdkwartier meldt Doorman: ,,Enemy retreating to the west. Contact broken. Where is convoy?" Het ontbreken van eigen luchtverkenning is in deze situatie rampzalig. De enige kans van de geallieerden ligt nog steeds in de vernietiging van de Japanse transportvloot. Takagi weet dit en wijkt geleidelijk voor het opdringende eskader van Doorman. Het optreden van de geallieerden heeft wel degelijk indruk gemaakt. Het beschermen van de transportschepen blijft dan ook Takagi's belangrijkste zorg. Voor Doorman zit er, daar er geen gegevens van de eigen luchtverkenning beschikbaar zijn, weinig anders op dan in den blinde te tasten in de hoop op transportschepen te stoten.

De fourstackers hebben een positie op de van de vijand afgekeerde zijde van de kruiserlinie ingenomen. De commandant van de Amerikaanse flotille laat weten, dat alle torpedo's verschoten zijn. De twee overgebleven Britse jagers 'Jupiter' en 'Encounter' varen als scherm voor de kruiserlinie uit. In deze formatie kruist Doorman in verschillende richtingen, eerst noordoostelijk en dan westnoordwest. Daarbij blijven Japanse vliegtuigen zijn bewegingen nauwkeurig volgen. Zodra de korte schemering in de duisternis van de nacht is overgegaan worden lichtfakkels afgeworpen. Elke manoeuvre wordt gezien en onmiddellijk doorgegeven, elke kans om de transportvloot te overvallen en te vernietigen wordt daarmee tot nul gereduceerd.

19.27 – Het vuurcontact gaat verloren tot omstreeks half acht. Dan ontwikkelt zich een kort gevecht met de lichte kruiser 'Jintsu' en met een drietal jagers, op een afstand van circa 8000 meter. De Japanse oorlogsbodems maken weer gebruik van hun sterkste wapen: de 'Jintsu' lanceert een viertal torpedo's. De lichtflitsen van de lanceringen worden op de 'Perth' waargenomen, de Australische kruiser draait snel naar stuurboord, de boeg in de richting van de aanval, en de overige geallieerde schepen volgen dit voorbeeld. Alle torpedo's missen hun doel.

Na deze aanval te hebben afgeslagen kruist Doorman verder, eerst naar het oosten, later verlegt hij zijn speurtocht naar de transportvloot naar het zuiden. Zo koerst hij in de richting van de noordkust van Java. Door deze koerswijziging wordt het contact met de Japanse oorlogsvloot verbroken.

20.15 – Bij de bemanningen bestaat de indruk dat Doorman terug wil keren naar de haven van Soerabaja. Redenen daarvoor zijn er genoeg. Op verschillende schepen van zijn sterk geslonken eskader bestaat een ernstig tekort aan munitie en aan olie. Bovendien hebben de vier Amerikaanse jagers alle torpedo's verschoten. Daarmee zijn de vuurkracht en de gevechtswaarde van het eskader belangrijk afgenomen.

De ingetreden gevechtspauze maakt het mogelijk om weer enigszins op verhaal te komen. De mensen hebben de gelegenheid een boterham te eten en ze kunnen zich wat verfrissen. Zij die het gehele gevecht benedendeks hun werk hebben verricht, kunnen naar boven om even een luchtje te scheppen op het dek. Ook kunnen ze hun ervaringen uitwisselen. Aan dek gekomen merken ze dat Japanse toestellen het eskader blijven volgen en af en toe lichtfakkels afwerpen. Elke beweging van Doorman is zo binnen enkele minuten bij zijn tegenspeler Takagi bekend. Doorman daarentegen is volslagen onkundig van de positie van zijn tegenstander.

21.00 – Tegen negen uur in de avond nadert het geallieerde eskader de noordkust van Java. Een ieder betrekt zijn gevechtspost weer. Op de brug van de 'De Ruyter' besluit Doorman om Soerabaja niet binnen te lopen. In plaats daarvan wil hij nogmaals een sweep langs Java's noordkust maken, in de hoop daar alsnog op de invasievloot te stuiten. De koers van de formatie wordt verlegd in westelijke richting. Binford, de commandant van de Amerikaanse jagerflotille, trekt uit deze
70 koerswijziging de conclusie dat Doorman voorlopig niet naar Soerabaja terug-

keert. Daar zijn jagers al hun torpedo's verschoten hebben en verder uitsluitend over een zeer zwakke bewapening beschikken, ziet hij geen heil meer in een verdere deelname aan de strijd. Zonder verder overleg met zijn eskadercommandant geeft hij de vier jagers de opdracht zich van het eskader af te splitsen en naar Soerabaja te koersen.

21.30 – Doorman, niet op de hoogte van dit eigenmachtig besluit, komt een half uur later tot dezelfde conclusie. Binford ontvangt het bevel naar de marinebasis terug te keren om olie en torpedo's te laden. Zo stomen de jagers door de vaargeul in de mijnenvelden naar de marinehaven van Soerabaja. Hun bewegingen blijven de Japanse commandant niet onbekend; tot op het ogenblik, waarop zij de mijnvrije vaargeul invaren worden lichtfakkels boven het flotille uitgeworpen. In de haven liggen de al vroeger in de avond aangekomen 'Exeter' met haar begeleider 'Witte de With'. De oververmoeide bemanningen beginnen onmiddellijk olie te laden, om tegen de dageraad naar een veiliger ankerplaats te kunnen vertrekken.

Doormans formatie bestaat nu nog uit de kruisers 'De Ruyter', 'Houston', 'Perth', 'Java', en uit de twee torpedobootjagers 'Jupiter' en 'Encounter'. De kruisers varen bij deze nachtelijke tocht langs Java's noordkust wederom in kiellinie. De linie wordt gesloten door de 'Java'. Even achter deze linie, en iets meer naar de kust toe, stoomt de 'Jupiter'. De 'Encounter' vaart niet in deze formatie, maar ligt wel vrijwel op dezelfde koers.

21.30 – Tegen half tien, het eskader ligt dan ter hoogte van Toeban, vindt er plotseling een zware explosie plaats aan de stuurboordzijde van de jager 'Jupiter', even voor het tweede ketelruim.

Twaalf leden van de bemanning worden door deze explosie op slag gedood, twee andere worden zo zwaar gewond dat zij kort daarop sterven. Het schip is verloren. Een deel van de bemanning weet het zinkende schip te verlaten en bereikt op vlotten of in boten de nabijgelegen kust. De overige overlevenden kunnen op hun reddingsvlotten door de zware stroming de kust niet benaderen. Van deze groep drenkelingen, het gaat om 175 man, zullen er de volgende dag 100 door de Japanse Marine worden gered. Onder hen is de commandant van de 'Jupiter'. Het wrak van de jager zinkt niet snel, eerst om half twee 's nachts verdwijnt het onder de golven.

De eerste gedachte van de bemanning is dat de 'Jupiter', evenals de 'Kortenaer' enkele uren tevoren, door een onderzeeboot is getorpedeerd. Later zal blijken dat daar geen enkele aanwijzing voor te vinden is. Er zijn, om half tien in deze avond, geen Japanse onderzeeboten in dit zeegebied geweest. De 'Jupiter' is verloren gegaan enkele mijlen ten noorden van een door de Nederlanders gelegd mijnenveld. Het meest waarschijnlijk is dan ook, (tot deze conclusie komt men later) dat de jager op een van deze mijnen gelopen is.

Korte tijd na deze fatale ontploffing besluit Doorman de koers opnieuw naar het noorden te verleggen. Het is nu wel duidelijk dat de Japanse invasievloot de stranden van Java nog niet bereikt heeft. De enige mogelijkheid is om, weer in den blinde, naar deze invasievloot te gaan zoeken, ergens in de wateren benoorden het eiland. De Japanse Marine kent deze problemen niet: Doormans formatie wordt nog steeds door verkenningsvliegtuigen gevolgd, die regelmatig lichtfakkels blijven uitwerpen. Deze luchtverkenning zal nog een half uur, tot plus minus tien uur, doorgaan. De nacht is wolkenloos, zodat bij het opkomen van de maan ook het zicht voor de geallieerden wat beter wordt.

22.15   Het wordt kwart over tien als Doormans schepen weer de plaats naderen waar, ongeveer vijf uur tevoren, de 'Kortenaer' werd getorpedeerd. De overlevenden van deze scheepsramp hebben, met hun vlotten dobberend op de korte golfslag, de zonsondergang en het invallen van de nacht meegemaakt. Het lijkt al tegen middernacht te zijn (in werkelijkheid is het enkele uren eerder) als Doormans kruisers naderen. In de stille maannacht wordt een geruis hoorbaar, dat snel luider wordt. In het heldere licht van de volle maan komen schepen in zicht. Eerst zijn het donkere silhouetten, heel in de verte. Later veranderen ze in grauwzwart, dan worden ze zilvergrijs. Dichterbij gekomen glanzen de met hoge snelheid aanstormende schepen wit in het licht van de maan.

Aanvankelijk weet geen van de ronddrijvende overlevenden van de 'Kortenaer' wat hij van deze plotselinge ontmoeting moet denken. Dan, plotseling, herkennen de mannen op hun vlotten de vertrouwde contouren van de navigatiebrug van het voorste schip van de linie: het is de 'De Ruyter' het vlaggeschip van Karel Doorman. Daarachter volgen, alle met hoge snelheid, de 'Houston', de 'Perth' en de 'Java'. De sterk verzwakte formatie passeert de drenkelingen van de 'Kortenaer' zo dicht dat er gevaar bestaat door de schroeven geraakt te worden. De vreugdekreten van de mannen op de vlotten slaan in angstkreten om. Gelukkig wordt niemand door de schroeven gewond. De 'De Ruyter', de 'Houston' en de 'Perth' passeren de wild dobberende vlotten aan een zijde, de 'Java' aan de andere. Enkele vlotten slaan door de golfslag om, de mannen schreeuwen om de aandacht te trekken. Sommigen menen in de enkele seconden die deze ontmoeting duurt, hun collega's te ontdekken, vrienden op de dekken van de twee Nederlandse kruisers. De drenkelingen worden opgemerkt. Vanaf het dek van de 'Houston' wordt, door iemand met veel tegenwoordigheid van geest, een reddingslicht in het water geworpen, het danst over de golven die door het passerend eskader zijn opgeworpen, dicht in de buurt van de vlotjes waar ieder weer opgeklommen is. Hoewel ze dus gezien zijn, bestaat er voor het eskader geen enkele mogelijkheid om hun verder enige hulp te bieden, dat is een ieder volkomen duidelijk. Het incident is voorbij, en weer begint een periode van wachten.

Ongeveer een half uur later komt wederom een schaduw in zicht, ditmaal van een eenzaam varend schip. Het nadert. Is het een Japans, of is het een bevriend geallieerd schip? Het verandert van koers en stoomt recht op het lichtbaken aan. Iedereen houdt de adem in.

Plotseling wordt het duidelijk: het is een geallieerde torpedobootjager, de 'Encounter'. Deze jager heeft zich de laatste uren niet meer strak aan de door Doorman ingenomen formatie gehouden, maar heeft enigermate op eigen initiatief geopereerd. Het schip is nu, nadat alle torpedo's zijn verschoten, op weg naar Soerabaja.

72   De 'Encounter' mindert vaart en zwenkt voorzichtig langs de vlotten. Er worden

reddingsnetten uitgeworpen. De overlevenden van de 'Kortenaer' klimmen omhoog, de gewonden worden aan boord gehesen. Ze krijgen eerst droge kleding, dan pure whisky om warm te worden. De 'Encounter' koerst verder, naar Soerabaja. De volgende ochtend vroeg worden de overlevenden door een Nederlandse patrouilleboot van boord gehaald. In totaal zijn er 113 mannen gered, een ernstig gewonde matroos (hij heeft een verbrijzelde voet) is aan boord van de 'Encounter' gestorven.

De nog overgebleven schepen van Doormans eskader stomen voort in de heldere tropennacht. Ze liggen nog steeds onder de observatie van Japanse verkenningsvliegtuigen.

21.50 – Tegen tien uur verschijnt er weer een toestel boven de vier in linie varende kruisers. Wederom worden er lichtfakkels uitgeworpen, zodat Doormans bewegingen goed kunnen worden gevolgd: niet minder dan zes fakkels verlichten het wateroppervlak. Bovendien beschikt de Japanse Marine weliswaar nog niet over radar, maar wel over voortreffelijke nachtkijkers. Het sterk uitgedunde geallieerde eskader, dat zonder enige bescherming in de lucht en zonder enig gegeven over de vijandelijke formatie verder moet opereren, is in alle opzichten in het nadeel. Maar Doorman zet door, hij blijft naar de Japanse transportvloot zoeken. De koers wordt weer naar het noorden verlegd.

22.30 – Tegen half elf worden aan bakboord twee Japanse schepen waargenomen. Weer zijn het niet de lang gezochte transportschepen: Doorman stuit opnieuw op een deel van het dekkingseskader, bestaande uit de zware kruisers 'Nachi' en 'Naguro'. Ze liggen op een vrijwel parallelle tegenkoers.

Van beide zijden wordt het vuur geopend. Lichtflitsen van exploderende granaten vlammen op in de nacht. Het vuur van de Japanse kruisers is langzaam, maar nauwkeurig. Door near misses spat het water over de dekken van de geallieerde schepen. De afstand tussen de linies wordt door beide eskaders geleidelijk verminderd tot ongeveer 9000 meter. Het zicht voor de geallieerden wordt bemoeilijkt door het verblindende effect van de neerkomende Japanse lichtgranaten.

23.20 – Omstreeks kwart over elf vindt eskadercommandant Nagasawa wederom het ogenblik gekomen een torpedoaanval te ondernemen. Zijn chef, Takagi, stemt toe. Door de vrij korte afstand tussen de beide formaties is er een redelijke kans op succes. De 'Nachi' lanceert van een afstand van circa 5500 meter acht torpedo's, terwijl de 'Haguro', van een afstand van plusminus 7300 meter, er vier lanceert. Het zijn wederom de zeer moderne door zuurstof gedreven torpedo's, van het type, waarmee al enkele uren tevoren de 'Kortenaer' tot zinken werd gebracht.

Aan boord van de geallieerde schepen heeft men de lancering van de torpedo's niet opgemerkt. De meest succes biedende en doeltreffende uitwijkmanoeuvre, een snelle koerswijziging, wordt niet ingezet. Zo blijft het eskader gedurende een aantal minuten, terwijl de torpedo's de linie naderen, op dezelfde koers liggen. In deze minuten ontvangt de 'De Ruyter', nog altijd het eerste schip in de linie, een granaattreffer op het achterdek. Het is een blindganger, die het pantserdek niet doorboort en die, zonder veel schade te hebben aangericht, het schip weer verlaat. Deze treffer brengt Doorman ertoe de afstand tot de vijandelijke linie te vergroten.

Hij draait in een wijde boog naar stuurboord, van de Japanse linie af. De overige drie kruisers volgen dit voorbeeld.

Nog tijdens deze koerswijziging vindt er, na een geweldige steekvlam, een zware explosie plaats aan boord van het laatste schip van de geallieerde kruiserlinie. De 'Java' heeft een torpedotreffer in het achterschip, vlakbij een munitiebergplaats opgelopen. De ontploffing van torpedo en munitie heeft fatale gevolgen. Een stuk van het achterschip breekt af. De 'Java' verliest onmiddellijk vaart, is stuurloos geworden en komt binnen korte tijd stil te liggen. De kruiser is reddeloos. De commandant van het vaartuig, kapitein ter zee Van Straelen, kan slechts de order geven het schip te verlaten. Binnen enkele minuten heeft de 'Java' al een slagzij van bijna veertig graden. Het brandende achterschip zinkt snel weg. Sloepen kunnen niet meer worden gestreken. Het enige dat nog mogelijk is wordt gedaan: alles wat kan drijven, wordt in het water geworpen. De zwemvesten waar de bemanning over beschikt, zijn van balsahout gemaakt. Ze zijn volumineus en daardoor onhandig in het gebruik. De zwemvesten kunnen hierdoor tijdens een gevecht niet worden gedragen. De bergplaatsen waar ze liggen opgeslagen zijn door de felle brand niet meer bereikbaar... Na ongeveer twintig minuten verdwijnt het brandende wrak van de 'Java', met de voorsteven omhoog, sissend onder de golven.

Op de brug van de 'De Ruyter' heeft men de steekvlam en de daarop volgende ontploffing kunnen waarnemen. Sommigen zien zelfs hoe het achterschip van de Nederlandse kruiser afbreekt. Het wordt duidelijk dat de formatie onder een torpedoaanval ligt. De drie kruisers, alles wat nog van de geallieerde vloot in deze wateren over is, zetten inmiddels hun koersverandering voort. Ze zijn bijna 180 graden van koers veranderd, en zo op tegenkoers gekomen als enkele bemanningsleden van de 'De Ruyter' de bellenbaan van een torpedo aan stuurboordzijde zien naderen. Ze roepen waarschuwingen.

Doorman en de kapitein van het schip, Lacomblé, staan op dat moment juist aan bakboordzijde van de commandobrug. Na de waarschuwende kreten stormen ze naar de andere kant om de situatie op te nemen. Tegelijkertijd wordt nog het commando gegeven scherp naar stuurboord te zwenken. Deze manoeuvre heeft geen succes meer. Enkele seconden later treft de Japanse torpedo het achterschip van de 'De Ruyter'. Sinds de fatale explosie op de 'Java' zijn dan nauwelijks twee minuten verlopen.

De torpedotreffer veroorzaakt een geweldige ontploffing. Op dat ogenblik krijgen de opvarenden het gevoel of hun schip door de explosie uit het water wordt gelicht. Op hetzelfde moment vallen alle lichten uit. Brandende olie brengt de gereedstaande munitie tot ontploffing. Dat heeft tot gevolg, dat er al onmiddellijk tientallen slachtoffers vallen. Het schip begint meteen zware slagzij te maken, maar – in tegenstelling tot de 'Java' – zinkt het niet snel weg. Het eskader verkeert nu in een chaotische toestand. De achter de 'De Ruyter' stomende 'Perth' en 'Houston' weten het brandende schip door een snelle manoeuvre te ontwijken, de 'Perth' door scherp naar bakboord te zwenken, en de 'Houston' door stuurboordsroer te geven. De Australische en de Amerikaanse kruiser zijn de enig overgebleven oorlogsbo-

dems van de geallieerde vloot in de Javazee. Tot de mondelinge orders die Doorman tijdens de ANIEM conferentie heeft gegeven, behoorde de opdracht alle in moeilijkheden komende schepen aan de genade van de Japanse tegenstander over te laten. Aan deze order wordt voldaan, ook, zoals nu, Doorman zelf tot de slachtoffers behoort.

De commandant van de 'Perth', captain Waller, is thans de oudste in rang. Hij neemt de overgebleven schepen onder zijn bevel. Waller heeft al een ruime oorlogservaring. Voor de strijd in de Javazee voerde hij reeds een commando in het Middellandse-Zeegebied, onder de Britse admiraal Cunningham. Waller stelt allereerst het marinecommando op Java op de hoogte van het lot van de 'Java' en de 'De Ruyter'. Dan zetten de 'Perth' en de 'Houston' met hoge snelheid koers naar de haven Tandjong Priok op West-Java. Zo komen de resten van het geallieerd eskader in twee havens terecht. In de marinehaven van Soerabaja liggen de 'Exeter', de Nederlandse jager 'Witte de With' en de vier Amerikaanse fourstackers, terwijl de 'Perth' en de 'Houston' dus naar Tandjong Priok zijn teruggetrokken.

Het marinecommando in Soerabaja zendt, zodra de meldingen over het fatale verloop van de zeeslag zijn binnengekomen, het hospitaalschip 'Op ten Noort' uit om overlevenden op te sporen. Het schip wordt in de loop van de volgende middag door twee Japanse torpedobootjagers naar het eiland Bawean opgebracht voor onderzoek. De reddingspogingen mogen eerst na twee dagen worden voortgezet, en dan onder Japanse supervisie . . .

In het door de strijdenden verlaten zeegebied blijft het brandende wrak van de 'De Ruyter' in de nacht nog drie uur lang drijven. Dat geeft de bemanning de gelegenheid om nog een onbeschadigd gebleven reddingsloep te strijken. Verder kunnen de reddingsvesten worden omgedaan. Natuurlijk wordt alles wat maar drijven kan in het water geworpen. Ook lukt het de lichtgewonden van boord te nemen. Daarentegen kunnen de zieken en zwaargewonden niet allen meer worden gered. Eerst ziet het er nog enige tijd naar uit dat de 'De Ruyter' zal blijven drijven. De overlevenden besluiten daarom op hun vlotten in de omgeving van het nog steeds brandende schip te blijven. Maar dan komt toch het einde: omstreeks half drie in de nacht verdwijnt de 'De Ruyter' onder de golven van de Javazee. Zowel Doorman als Lacomblé zijn nooit meer gezien, ze moeten met hun schip ten onder zijn gegaan. In totaal neemt de 'De Ruyter' ongeveer 345 mensen met zich mee, de diepte in. Bij de ondergang van de 'Java' is het aantal slachtoffers nog groter: hier verliezen 509 mannen het leven.

De beide Nederlandse kruisers liggen op de bodem van de Javazee op ongeveer 60 kilometer ten zuidwesten van het eilandje Bawean, meer precies op 06°00'Z.B. 112°05'O.L.

Op het Japanse vlooteskader, waar men na de twee torpedotreffers de overgebleven schepen van de geallieerde formatie uit het zicht verloren heeft, neemt Takagi het besluit zich met de invasievloot voorlopig naar het noordwesten terug te trekken. Dit om verdere risico's voor de transportschepen te voorkomen. Tegen de dageraad wordt voorts besloten om de landing op Java voor vierentwintig uur uit te stellen. Dat is de tijdwinst, die door het optreden van Doorman is bereikt. Daarna echter zal de invasie volgens plan doorgaan.

De slag in de Javazee is voorbij.

Op deze zelfde historische 27ste februari wordt nog een ander obstakel voor de Japanse overwinning uit de weg geruimd.

In de loop van de morgen hebben Japanse verkenningsvliegtuigen ongeveer 75 mijlen ten zuiden van Tjilatjap de Amerikaanse transportschepen 'Langley' en 'Seawitch' ontdekt. Omstreeks half twaalf volgt onvermijdelijk de aanval. Het is die 27ste februari in de Indische Oceaan uitstekend vliegweer, met helder zicht en nauwelijks enige bewolking. De 'Langley' wordt aangevallen door een escadrille van negen tweemotorige bommenwerpers van het type Nell, afkomstig van de basis Kendari op Celebes. De eerste aanval weet de commandant van de 'Langley' door snel manoeuvreren te ontwijken. Ook de tweede aanval mislukt. De derde aanval is raak: de 'Langley' loopt vijf voltreffers op. De vliegtuigen bijeengepakt op het dek branden als fakkels, het stuurmechanisme en het gyrokompas van het schip raken onklaar en de 'Langley' maakt een slagzij van ongeveer tien graden. De commandant van het schip neemt zijn maatregelen, de brandende toestellen worden overboord gezet, ook weet men de slagzij weg te werken. Maar zijn order om de reddingboten en vlotten voor gebruik gereed te maken wordt door vele bemanningsleden misverstaan: ze springen in paniek overboord. Tenslotte besluit de commandant maar het schip te verlaten, nu er nog escortevaartuigen in de omgeving zijn.

Uit latere commentaren blijkt dat lang niet iedereen ervan overtuigd is dat het schip verloren was: schout-bij-nacht Glassford suggereert in een commentaar op de gebeurtenissen dat de 'Langley' wel wat vroeg verlaten is. Maar zijn twijfel zal de krantenlezer in de Verenigde Staten niet bereiken. Het laatste bericht van de marconist van het schip, voor hij van boord stapt, echoot wel door de Amerikaanse pers: „Mamma said there would be days like this. She must have known." Zestien bemanningsleden hebben bij het bombardement het leven verloren, de anderen stappen over op de escortevaartuigen. Die vaartuigen brengen vervolgens het wrak van de 'Langley' met torpedo's en geschutvuur tot zinken.

De 'Seawitch' weet in de loop van de volgende dag ongeschonden de haven van Tjilatjap te bereiken. De lading van dit schip bestaat uit vliegtuigonderdelen in kratten, en niet, zoals bij de 'Langley', uit complete, gemonteerde toestellen. De kratten worden op de al overvolle kade van Tjilatjap ontscheept. Daar blijven ze liggen, want tijd en mogelijkheden om de toestellen te monteren ontbreken. In deze laatste dagen voor de capitulatie is de chaos in de haven compleet. Een deel van het kostbare materiaal wordt nog vernietigd, de rest valt later in Japanse handen. De 'Seawitch' verlaat de volgende morgen de haven en weet uiteindelijk weer Australië te bereiken.

Na de slag

Aan boord van de naar Java terugkerende 'Houston' heerst na de zeeslag beslist geen sombere stemming. En dat ondanks de uitputting, ondanks het feit dat een groot deel van de eigen strijdmacht vernietigd is. Alle opvarenden, van hoog tot laag, hebben het gevoel de strijd niet voor niets te hebben gestreden. Ook op de andere schepen van de geallieerden heerst de stellige overtuiging dat de Japanners zware verliezen zijn toegebracht.

Over de omvang van die verliezen lopen de opvattingen nogal uiteen, iets dat in de eerste jaren na de oorlog nog zo zal blijven.

Sommige overlevenden van de 'De Ruyter' en de 'Java' zijn van mening dat zes Japanse torpedobootjagers tot zinken gebracht zijn. Overlevenden van de 'Kortenaer' vertellen hoe ze, drijvend op hun reddingsvlotten, zeker twee Japanse jagers doormidden hebben zien breken en vergaan. Ook de Amerikaanse marinehistoricus Fletcher Pratt, die al in 1943 een boek over de zeeslagen in de Pacific publiceerde, vermeldt zware Japanse verliezen. Hij geeft aan dat een zware Japanse kruiser in brand werd geschoten, terwijl zeker twee torpedobootjagers in de lucht zijn gevlogen. In een door het Britse Ministerie van Voorlichting uitgegeven geïllustreerd tijdschrift, *Big Ben* geheten, dat direct na de bevrijding van Nederland werd gedistribueerd, wordt op een tekening van de zeeslag gesuggereerd dat twee zware Japanse kruisers tot zinken gebracht zijn.

Het werkelijke verloop van de slag is eerst aan het licht gekomen toen na de capitulatie van Japan ook de gegevens van die zijde ter beschikking gekomen zijn. Deze Japanse gegevens tonen aan dat de twee zware kruisers 'Nagi' en 'Haguro' enkele treffers hebben opgelopen. Deze treffers hebben echter niets aan hun gevechtswaarde afgedaan. Verder werd de jager 'Minegumo' beschadigd, een zware beschadiging was dat echter niet. De ernstigste treffer is geplaatst op een andere jager, de 'Asagumo'. Maar ook dit schip, althans naar Japanse opgave, heeft de strijd binnen korte tijd kunnen hervatten: na circa een uur heeft men het schip weer gevechtsklaar kunnen maken. In ieder geval is het zo dat tijdens de strijd in de Javazee geen enkel Japans schip tot zinken is gebracht. Door de vernietiging van Doormans eskader is daarentegen de noordkust van Java onbeschermd: het eiland ligt open voor de geplande invasie.

In het hoofdkwartier in Bandoeng heeft Helfrich, tezamen met zijn collega's, de Amerikaanse schout-bij-nacht Glassford en de Brit Palliser, het verloop van de strijd gespannen gevolgd. Over de kaarten gebogen bestuderen ze de gehele nacht alle nog bestaande mogelijkheden. Nog voor het aanbreken van de dag wordt besloten te proberen alle schepen die zich nog in de Javazee bevinden, dan wel in Soerabaja of Tandjong Priok liggen, daaruit terug te trekken. Met deze nog resterende eenheden zal dan getracht worden om in de haven van Tjilatjap een nieuwe gevechtsformatie op te bouwen.

Dezelfde nacht nog gaan de orders uit. De 'Houston', de 'Perth' en de Nederlandse torpedobootjager 'Evertsen', die zich in Tandjong Priok bevinden, zullen door Straat Soenda (tussen Java en Sumatra) uitwijken. Voor diegenen die in de haven van Soerabaja een ligplaats hebben gekozen, voert de kortste weg door Straat Bali. Daar dit vaarwater beoosten Java nauw, ondiep en rotsachtig is vormt het geen goede route voor de beschadigde 'Exeter'. Deze kruiser krijgt de opdracht om, tezamen met de jagers 'Pope' en 'Encounter', via Straat Soenda de Javazee te verlaten. De Nederlandse jager 'Witte de With', die zich bij deze groep zal aansluiten, blijkt een defect aan de schroefas te hebben. Reparatie op korte termijn is niet mogelijk, zodat deze jager in Soerabaja achter moet blijven. Later wordt het schip tijdens een luchtaanval verder beschadigd. Tenslotte moet het door de Nederlanders worden vernietigd.

Uitgeputte mannen die in geen nachten hebben geslapen, sleuren in de havens van Tandjong Priok en Soerabaja de zware olieslangen over de dekken van hun schip. Hulp van walpersoneel is er niet. Overal rondom hen heen gaat de wereld ten onder. Bij de Amerikaanse jagers in Soerabaja komt een vrachtwagen van het Nederlands-Indisch gouvernement aangereden, die zwemvesten begint uit te laden. Dan volgt een personenwagen die vol met kostbaar schrijfpapier is geladen. ,,Allemaal voor jullie, vooruit, neem maar mee.''

Na zijn terugkomst in de haven van Soerabaja geeft kapitein Gordon van de 'Exeter' eerst de Nederlandse marinecommandant een overzicht van het verloop van de slag. Verder heeft hij een telefoongesprek met zijn landgenoot Palliser, die zich nog steeds in het hoofdkwartier in Bandoeng bevindt. Van hem krijgt hij de opdracht nog in de avond van deze 28ste februari uit de Javazee te breken.

Aan boord van de 'Exeter' gaat een ieder, ondanks de vermoeidheid, met nieuwe moed aan de slag. Er valt, naast het olie laden, nog veel te doen. Eerst moeten alle geschutstorens zoals dat heet op gelijk vlak worden gebracht, hetgeen wil zeggen dat de munitie zo verdeeld moet worden dat er in elke geschutstoren evenveel aanwezig is. Tijdens dit loodzware werk beginnen de sirenes van het luchtalarm te loeien. Er verschijnen Japanse toestellen boven het havengebied en het luchtdoelgeschut van de 'Exeter' komt in actie.

Later in de middag worden de doden, die in de slag in de Javazee aan boord zijn gevallen, ter aarde besteld. Op de Europese begraafplaats Kembang Koening brengt een groot detachement Britse mariniers een laatste groet aan hun gevallen
78 kameraden. Hoornblazers blazen de Last Post.

Er is ook een detachement van de Nederlandse Marine aanwezig, om aan de matroos van de 'Kortenaer', die aan boord van de 'Encounter' gestorven is, de laatste eer te bewijzen.

In de stralen van de ondergaande zon speelt zich zo op Kembang Koening onder de hoge, breed vertakte cambodja's, de kerkhofbomen van Java, een eenvoudig, maar indrukwekkend ceremonieel af. Het is voor alle aanwezigen een kort moment van stilte en bezinning in een militair uiterst wanhopige situatie.

Enkele uren later, het is dan zeven uur in de avond van deze 28ste februari, verlaten de 'Exeter', de 'Pope' en de 'Encounter' de haven van Soerabaja voor de laatste maal. Op deze schitterende zaterdagavond moet geprobeerd worden om uit de Javazee te breken.

De tocht in westelijke richting langs Java's noordkust verloopt aanvankelijk zonder incidenten. Dat verandert in de loop van de volgende morgen. Er wordt een bericht van de 'Pope' opgevangen, dat meldt dat ze door Japanse verkennings-vliegtuigen geschaduwd wordt.

Enige tijd later deelt de 'Exeter' mee dat er Japanse schepen in zicht komen. Dat zijn de laatste berichten van deze formatie, die de geallieerde wereld bereiken.

Op 14 maart 1942, dat is dus twee weken later, maakt de Britse Admiraliteit het volgende bekend: ,,In de voormiddag van de eerste maart meldde HMS 'Exeter', dat zij drie vijandelijke kruisers in zicht had gekregen, die in haar richting stoom-den. Van HMS 'Exeter' zijn daarna geen verdere seinen ontvangen." Aanwijzin-gen over wat er had plaatsgevonden ontbraken geheel. Er viel een stilte, die eerst aan het eind van de oorlog in de Pacific verbroken zou worden.

In de laatste maand van 1945 werden de eerste gegevens bekend gemaakt. In de Times van 3 december 1945 werd een uitvoerig verslag gegeven van het gevecht met een aantal Japanse kruisers, waarbij alle drie geallieerde schepen verloren gingen. Een deel van de overlevenden werd door de Japanse Marine gered. Onder hen was de commandant van de 'Exeter', Oliver Gordon.

In zijn in 1957 verschenen boek *Fight it out* vertelt hij hoe hij zijn in Japanse gevangenschap gemaakte aantekeningen over het verloop van het gevecht verbor-gen wist te houden door ze in een tube scheercrème te verstoppen. Gordons boek is het eerste verslag over de strijd in de Javazee dat door een Britse overlevende is gepubliceerd.

Uit het verhaal over het laatste fatale gevecht blijkt dat ieder lid van de bemanning zich er volkomen van bewust was dat de Javazee volledig door de Japanse Marine beheerst werd. De kans om daar doorheen te breken was, dat was duidelijk, uiterst klein.

Nadat de mijnenvelden buiten de haven van Soerabaja gepasseerd zijn, gaat de tocht in westelijke richting. De twee jagers 'Encounter' en 'Pope' stomen als een scherm voor de 'Exeter' uit. Alle bemanningsleden staan weer op stand by gevechtspost. De nacht is helder en het zicht buitengewoon goed, wel ongeveer tien mijl. Dit ongewoon goede zicht is overigens op een ogenblik als dit, waarin men beslist onopgemerkt wil blijven, een enorm nadeel.

Aan boord van de 'Exeter' wordt nog steeds hard gewerkt, de door granaatinslag 79 beschadigde ketels en leidingen worden zo goed mogelijk hersteld, zodat het schip geleidelijk meer snelheid kan gaan maken.

Om vier uur in de vroege ochtend van de 1ste maart worden aan de horizon masten van schepen gezien, transportschepen, die blijkbaar door een aantal oorlogsbodems worden vergezeld. Gordon wijkt van zijn koers af, in de hoop niet opgemerkt te worden. Later, omstreeks half tien in de morgen, worden weer schepen gezien en ditmaal zijn het zonder enige twijfel een aantal kruisers en torpedobootjagers. Een confrontatie is niet langer te vermijden, de kans om uit de Javazee te breken is verkeken.

De 'Exeter', 'Pope' en 'Encounter' worden belaagd door vier Japanse kruisers, die door een vijftal torpedobootjagers begeleid worden. Het is wederom een ongelijke strijd.

Ondanks de overmacht weten de geallieerde schepen in het vuurgevecht toch een aantal treffers te plaatsen. Door handig gebruik van de eigen rookgordijnen gebruik te maken kan een tijd lang voorkomen worden dat de geallieerden zelf schade oplopen. Maar dit geluk houdt geen stand.

Om elf uur in de morgen wordt de 'Exeter' getroffen. Er slaat een granaat in een ketelruim, waardoor onmiddellijk een felle brand ontstaat. De snelheid van de 'Exeter' loopt terug, de elektrische stroom valt uit, zodat de geschutstorens niet meer kunnen vuren. Plotseling is het, tot op dat moment niet onsuccesvolle gevecht voor de Britse kruiser verloren. De opgelopen beschadigingen maken het schip machteloos. Om 11.35 uur geeft Gordon bevel het schip te verlaten. Terwijl de kruiser van alle zijden onder vuur ligt wordt het schip door de bemanning zonder paniek en in alle rust verlaten. Vlotten en planken worden overboord geworpen. De brandende 'Exeter' maakt slagzij naar bakboord, een slagzij die geleidelijk toeneemt. Dan, het is inmiddels tien minuten later, volgt er aan stuurboord een zware explosie. Een fontein water spuit tot boven de masten uit. De 'Exeter' komt eerst enige ogenblikken recht te liggen, rolt dan om naar stuurboord en zinkt weg. Het schip ligt op 04° 38' Z.B. en 112° 28' O.L. De twee overgebleven jagers 'Pope' en 'Encounter' gaan kort daarop eveneens verloren.

De laatste uren in Tandjong Priok worden ook door de mannen van de 'Houston' en de 'Perth' bepaald niet in ledigheid doorgebracht. Op de 'Houston' moet de munitie die zich nog in het magazijn onder geschutstoren 3 bevindt naar de andere, nog functionerende torens verplaatst worden, een loodzwaar karwei dat met handarbeid geklaard moet worden. Weliswaar heeft deze munitie na de voltreffer van de 4de februari onder water gestaan, maar veel keus is er niet: andere munitie van dit kaliber is op Java niet voorhanden. Ook de vele dringend noodzakelijke reparaties zijn niet mogelijk, de tijd ontbreekt, de mogelijkheden eveneens. De bemanning dicht zelf provisorisch een groot gat dat in het voordek geslagen is. Verder lukt het om nog enige olie te laden. Ondertussen loeien de sirenes van het luchtalarm met een eentonige regelmaat.

Ook de 'Perth' en de 'Houston' zullen proberen in de nacht van 28 februari op 1 maart uit de Javazee te ontsnappen. Zij verlaten om 8 uur 's avonds de haven van Tandjong Priok. Het is de bedoeling dat de Nederlandse jager 'Evertsen', die al

De torpedobootjager 'Kortenaer'.

De kruiser 'Java' in actie in de Javazee.

Transport van zeemijnen in het Marine Etablissement van Soerabaja.

Pagina hiernaast, van boven naar beneden:
De van 1921 daterende kruiser 'Java'.
De ondergang van de 'Exeter' op 1 maart 1942.
De Australische lichte kruiser 'Perth'.

De geallieerde kruiserlinie passeert de drenkelingen van de 'Kortenaer'.

De torpedobootjager 'Evertsen'.

Schout-bij-nacht Karel W. F. M. Doorman, bevelhebber van de Combined Striking Force.

enige dagen in de haven ligt, de kruiser zal begeleiden. Door een misverstand worden de Nederlanders te laat gewaarschuwd, zodat de torpedobootjager eerst drie kwartier later de haven kan verlaten, het schip kan zich hierdoor niet meer bij de kruisers aansluiten.

De kruisers, met de 'Perth' voorop, stomen in westelijke richting langs Java's noordkust. Ze zullen een poging doen om via Straat Soenda weg te komen. Voortstomend met een snelheid van 20 mijl worden plotseling donkere scheepsrompen waargenomen. In deze nacht, volgend op de nacht waarin Doorman vertwijfeld poogde de Japanse invasievloot te vinden, stomen de restanten van zijn eskader midden in deze langgezochte vijandelijke macht. De 'Perth' en de 'Houston' stoten recht op een grote concentratie van schepen, die druk bezig zijn om op de noordwestpunt van Java, in de Bantambaai, troepen af te zetten. Er zijn daar niet minder dan 56 transportschepen aanwezig. Ze worden gedekt door twee zware kruisers, enkele lichte kruisers en twee flotilles torpedobootjagers. Het is elf uur in de avond, vrijwel exact 24 uur na de ondergang van de 'De Ruyter' en de 'Java'. Nu staan de 'Perth' en de 'Houston' alleen tegenover een verpletterende overmacht.

Eerst opent de 'Perth' het vuur, de 'Houston' volgt al spoedig. Overal langs de horizon zijn schepen te zien, de bemanning van de 'Houston' telt er zeker vijftig. Er ontwikkelt zich een verward artilleriegevecht, bovendien worden door de 'Perth' acht torpedo's gelanceerd. Doelen zijn er genoeg.

De geallieerden zijn door de overmacht ingesloten, overal langs de horizon vlamt het kanonvuur op. Toch bergt het gevecht voor de Japanners zware risico's in zich. De kans bestaat dat niet alleen de geallieerde, maar ook de eigen schepen door het vuur getroffen worden. Torpedo's, die op de 'Perth' of de 'Houston' worden afgevuurd, kunnen op de eigen schepen lopen. Het donderend lawaai, het opvlammend mondingsvuur, de rook, de op topsnelheid varende oorlogsbodems van beide partijen, de zoeklichten en lichtspoorgranaten, dat alles veroorzaakt een verwarde chaotische toestand, met grote kans op fatale vergissingen.

In deze mêlee gaat de 'Perth' het eerst ten onder, getroffen door talrijke granaten en torpedo's moet het schip tegen middernacht worden verlaten. ,,Schip verlaten, ieder voor zich'', luidt het bevel. De kruiser zinkt over bakboord weg. Met de 'Perth' gaat ook de bevelvoerend officier, captain Waller, ten onder, tezamen met 375 leden van zijn bemanning. De 'Houston', scherp en snel manoeuvrerend om de vijandelijke torpedo's te ontwijken, vecht door. De zinkende 'Perth' wordt al snel uit het oog verloren. Het vuren wordt niet langer meer centraal geleid, alle kanonnen worden lokaal bediend. Elk schip dat in zicht komt, is een doel, vergissen is niet mogelijk.

Terwijl de 'Houston' fel en hardnekkig tegen de overmacht blijft strijden, lijden de Japanse transportschepen verliezen. Het zijn de verliezen die Helfrich en Doorman hun vierentwintig uur tevoren hadden willen toebrengen. Toen was de transportvloot onbereikbaar, nu zou de kans voor het grijpen gelegen hebben. Zeker is dat tijdens het gevecht met de 'Houston' en 'Perth' drie Japanse transportschepen tot zinken zijn gebracht, of op het strand moeten worden gezet. De opperbevelhebber van de invasietroepen raakt te water en moet worden opgepikt en op het strand gebracht. Daar wordt hij door zijn altijd beleefde ondergeschikten gefeliciteerd met de geslaagde landing.

De verwarring die de 'Houston' en 'Perth' onder de Japanse vloot teweegbrengen wordt ongetwijfeld nog verhoogd door het eigen vuur en de eigen torpedo's. Het is zelfs waarschijnlijk dat de Japanse verliezen door torpedo's veroorzaakt zijn, gelanceerd door de Japanse jagers en kruisers. Maar dat maakt voor het resultaat geen verschil.

Om tien minuten voor elf treft een Japans projectiel een verfhok, kort daarop volgt een andere granaat, die midscheeps op de Amerikaanse kruiser inslaat, maar ernstige schade wordt hierdoor niet aangericht.

Het is vrijwel middernacht, als een van de vele door de Japanse kruisers en jagers gelanceerde torpedo's doel treft. Er ontploft een torpedo ter hoogte van de achterste machinekamer van de 'Houston'. De schade is enorm. De hoofdstoomleiding scheurt open, oververhitte stoom onder hoge druk spuit de machinekamer binnen en vult de ruimte in luttele seconden. Zij die niet hierdoor om het leven komen, verdrinken in het zeewater dat door het in de scheepsromp geslagen gat naar binnenstroomt. Door het uitvallen van de machinekamer verliest de 'Houston' snel vaart, de wendbaarheid neemt af en het schip wordt een makkelijke prooi voor de vele tegenstanders.

Ongeveer twintig minuten na middernacht wordt het schip door een salvo getroffen dat zware schade aanricht. Geschutstoren 2 gaat in metershoge vlammen op, slechts vijf mannen weten zich nog uit dit inferno te redden. Onmiddellijk wordt bevel gegeven de onder de geschutstoren liggende munitiemagazijnen onder water te zetten. Hierdoor is er geen munitie meer beschikbaar voor de 20 cm kanonnen. De 'Houston' vuurt verder met het 12 cm geschut en met de lichtere kanonnen en mitrailleurs.

Kort daarna slaat een torpedo aan stuurboord in, die ook daar forse schade aanricht. De 'Houston' is nu van boeg tot roer door rook en vlammen omgeven. De voortdurend inslaande granaten hameren het schip tot een wrak, bezaaid met doden en gewonden. Overal woeden branden, de opbouw van de kruiser is tot een massa verwrongen metaal geworden.

De Japanse jagers en kruisers naderen de 'Houston' steeds dichter. Nog geeft de 'Houston' zich niet gewonnen, de bemanning vecht verder met alle nog beschikbare wapens. De afstand tussen de strijdenden is nu zo klein geworden dat ook machinegeweren en lichte automatische wapens door de als razenden vechtende mannen op de tegenstander worden leeggeschoten.

Tenslotte, als de toestand volslagen onhoudbaar begint te worden, moet Rooks het bevel geven het schip te verlaten. Op hetzelfde ogenblik slaat wederom een Japans salvo in, dat een luchtafweerbatterij vlak bij de commandobrug treft. Alle manschappen worden op slag gedood, de rondvliegende stukken metaal zaaien overal dood. Het losgeslagen affuit van het afweergeschut treft de voor zijn hut staande Rooks. Borst, buik en wervelkolom worden door flarden metaal doorboord. Albert Rooks stort neer. Hij krijgt nog een morfineïnjectie en sterft enkele ogenblikken later.

Het verlies van de commandant op dit moment treft de bemanning zwaar. Rooks was een geacht en geliefd man. De Chinese kok van de commandant, Bodu geheten, blijft hem trouw tot in de dood. Hij gaat met gekruiste benen voor de hut van zijn gesneuvelde commandant zitten. „Commandant dood, 'Houston' dood, Bodu dood."

De 'Houston' maakt nog steeds wat vaart, zodat het bevel om het schip te verlaten enige tijd wordt opgeschort. Maar het vijandelijk trommelvuur gaat voort. Er vallen voortdurend meer slachtoffers, de 'Houston' komt geleidelijk stil te liggen. Het brandende schip maakt een sterke slagzij naar stuurboord. Terwijl de dekken door een storm van granaten worden getroffen, slaan nogmaals twee torpedo's in. In totaal worden door Japanse kruisers en jagers in deze nacht niet minder dan 87 torpedo's gelanceerd. De stilliggende 'Houston' is nu nauw omgeven door Japanse torpedobootjagers, die het schip met alle beschikbare wapens belagen.

Om 0.33 uur wordt weer bevel gegeven het schip te verlaten. De 'Houston' zakt verder weg over stuurboord. Omstreeks 0.45 uur kapseist het schip, terwijl een zware tropische regenbui over de met wrakhout en olie overdekte zee slaat. De 'Houston' neemt 500 van de 1064 opvarenden met zich mee de diepte in. Ongeveer 150 man komen later in het water om. De overige, 368 man, worden door de Japanse jagers opgepikt.

Het laatste schip dat in de avond van 28 februari de haven van Tandjong Priok verlaat, in een poging uit de Javazee te breken, is de Nederlandse torpedobootjager 'Evertsen'. De jager heeft de aansluiting met de 'Houston' en de 'Perth' gemist, zodat het geheel alleen moet trachten door het Japanse cordon te breken. Na het verlaten van de haven wordt eerst in westelijke richting gekoerst, dicht onder de kust. Dan, het is omstreeks half elf in de avond, wordt geschutsvuur gehoord vanuit de richting van de Bantambaai. Het is duidelijk dat daar een confrontatie plaatsvindt tussen de geallieerde kruisers en hun Japanse tegenstanders.

De commandant van de 'Evertsen' besluit dit gevecht te ontwijken door wat noordelijker langs de kust van Java te koersen in de richting van Sumatra, om dan vervolgens onder de kust naar de Indische Oceaan te ontsnappen.

Maar ook de 'Evertsen' wordt opgemerkt. Er komen silhouetten van schepen in zicht en het zijn niet, zoals eerst nog gehoopt wordt, de 'Perth' en de 'Houston'. Er volgt een vuurgevecht, waarbij de 'Evertsen' in brand geschoten wordt. De kans om te ontsnappen is verloren, tenslotte wordt het brandende schip op een kustrif van een eilandje onder de kust van Sumatra gezet.

In dezelfde historische nacht van 28 februari op 1 maart 1942 kiezen ook de vier in Soerabaja liggende Amerikaanse fourstackers zee. Het zijn de 'Ford', 'Paul Jones', 'Edward' en 'Alden'. Torpedo's hebben de jagers niet meer en met de munitievoorraad voor het geschut is het droevig gesteld.

Commandant Binford van het jagerflotille heeft aan het hoofdkwartier in Bandoeng verlof gevraagd met zijn jagers door Straat Bali te mogen uitwijken. Het wachten op de beslissing duurt lang. De bemanning twijfelt eraan of de toestemming wel zal komen, of dat het hoofdkwartier hen, evenals de 'Perth', de 'Houston', de 'Evertsen' en de 'Exeter', door Straat Soenda zal sturen. De tocht door de

Javazee langs de noordkust van Java lijkt hun vol risico's – en het lot van de overige schepen zal dat later ook duidelijk uitwijzen. Het wachten op toestemming om te vertrekken maakt de bemanningen gespannen en ongerust. Als het vertrek deze nacht wordt uitgesteld kan het te laat zijn, en dan zullen de jagers in de haven tot zinken worden gebracht. Dan vangt de radiohut een bericht op, dat aan alle Amerikaanse onderzeeboten in het zeegebied rond Java is gericht. Hun wordt medegedeeld dat vier torpedobootjagers door Straat Bali zullen breken. Men kan vertrekken.

Als de schepen in de heldere maannacht de nauwe en moeilijk navigeerbare zeestraat tussen Java en Bali naderen stijgt de spanning aan boord. Het is de vraag of de zeestraat al geblokkeerd is. Zonder iemand op te merken lopen de vier jagers de straat in. Maar bij het verlaten ervan, omstreeks twee uur in de nacht, stoten de Amerikanen op Japanse jagers. Ze hebben blijkbaar de zuidelijke ingang van de straat bewaakt. Eerst is er de schaduw van een schip te zien onder de kust van het eiland Bali, dan volgt een lichtsein en kort daarop de mondingsvlam van kanonvuur. Drie grote moderne Japanse torpedobootjagers openen het vuur van een afstand van ongeveer 5500 meter. De Amerikanen beantwoorden het vuur.

In het deel van de zeestraat waar het vuurgevecht plaatsvindt, is een ondiepte. De fourstackers moeten van koers veranderen om hier niet op te lopen, deze koersverandering brengt hen dichter op de vijand. Het is mogelijk dat dit de Japanners verrast. Mogelijk ook hebben ze de indruk dat de Amerikanen een torpedoaanval in willen zetten. In ieder geval breken de Japanse jagers na tien minuten het vuurcontact af, ze laten de tegenstander verder ongemoeid. Zo overleven deze vier oude schepen als enige de slag in de Javazee. Op vier maart lopen ze behouden de haven van Fremantle in Australië binnen.

Helfrich heeft, met zijn Amerikaanse collega Glassford en de Brit Palliser, in het hoofdkwartier in Bandoeng het verloop van de gevechten trachten te volgen, aan de hand van de schaarse en vaak onduidelijke berichten die het hoofdkwartier bereiken.

Omstreeks middernacht meldt een Amerikaanse bommenwerper, dat in de Indische Oceaan ten zuiden van Tjilatjap sterke Japanse vlooteenheden gezien zijn, waaronder vermoedelijk slagschepen en vliegdekschepen. Alle schepen die uit Tjilatjap trachten weg te komen, zullen, dat is evident, op deze strijdmacht stoten en vernietigd worden.

Er komt ook een enkel opwekkend bericht, dat meldt dat de vier Amerikaanse jagers ongedeerd naar de Indische Oceaan hebben weten door te breken. In de vroege morgen van zondag, de 1ste maart komen de eerste berichten over Japanse landingen op de noordkust van West- en Oost-Java.

Op deze zelfde sombere zondagmorgen heeft Helfrich om negen uur in de ochtend een laatste bijeenkomst met Glassford en Palliser. Helfrich wil de strijd nog steeds niet opgeven. Hij wil doorvechten zolang er nog schepen zijn en hij meent dat er met een concentratie van onderzeeboten in de Javazee zeker nog successen mogelijk moeten zijn.

84   De Brit Palliser wil daar niets meer over horen. Hij wijst op het bevel van de Britse

Admiraliteit om de Britse oorlogsbodems uit het zeegebied terug te trekken, zodra de strijd onmogelijk geworden is en hij vindt dat dit moment nu gekomen is. Helfrich herinnert eraan dat hij nog immer onder het rechtstreeks bevel van hem staat. De Brit beaamt dit wel, maar blijft bij de instructies van zijn admiraliteit. Helfrich wijst verbitterd op de steun die de Nederlanders bij de verdediging van Singapore hebben gegeven en zegt dat het nu de beurt voor de Britten is. Maar Palliser komt op zijn beslissing niet terug. De welbespraakte Glassford treedt weliswaar minder hard op dan zijn Britse collega, maar maakt toch ook duidelijk dat een verdere voortzetting van de strijd volgens hem zinloos is. Ook hij adviseert om tot de terugtocht over te gaan.

Helfrich stelt dan dat de Gouverneur-Generaal de definitieve beslissing moet nemen, deze is uiteindelijk na het vertrek van Wavell opperbevelhebber van land- zee- en luchtstrijdkrachten in het ABDAgebied. Een kort gesprek met de Gouverneur leidt tot de conclusie dat een ieder weer vrijheid van handelen krijgt. Het gemeenschappelijk commando wordt opgeheven. De laatste ABDAconferentie heeft ongeveer een uur geduurd.

Nu gaat een ieder zijns weegs. Palliser vertrekt met een der laatst overgebleven machines naar Ceylon. Ook Helfrich gaat die weg. Hij moet zijn familie in de handen van de Japanse bezetting laten. De Amerikaanse opperofficieren tenslotte vertrekken met een wrakke vliegboot naar Australië.

De strijd om Nederlands-Indië is definitief verloren.

Nederland na de slag

Enkele jaren na de oorlog begonnen, aarzelend en bij stukjes en beetjes, de tot dien geheime of onbekende gegevens over de Tweede Wereldoorlog hun weg naar de pers te vinden. Tijdens de oorlog, toen men in het bezette Nederland snakte naar nieuws over het lot van familieleden in de koloniën, kon men alleen proberen iets van de reële situatie te weten te komen door tussen de regels van de zwaar gecensureerde pers door te lezen, of door te trachten iets van de werkelijke gang van zaken te destilleren uit de uitzendingen van Radio Oranje. Maar wat de gebeurtenissen in Oost-Indië betrof, leverde dat weinig resultaten op. De slag in de Javazee werd in de grote stroom van andere oorlogsmeldingen al snel vergeten.

Toen de oorlog eenmaal voorbij was, kwamen er zoveel nieuwe problemen op de mensen af, dat verhalen of verslagen over de gebeurtenissen uit de voorbije strijd nauwelijks nog enige aandacht kregen. Het juiste verloop van de slag in de Javazee is een van die gebeurtenissen uit de Tweede Wereldoorlog, waarvan het merendeel van de Nederlanders in, noch na de oorlog alle bijzonderheden heeft leren kennen.

De betekenis van de slag voor het verdere verloop van de Pacific-oorlog werd tijdens de oorlog, en ook in de jaren daarna, in Nederlandse publikaties zwaar onderstreept. In Engelse en Amerikaanse mededelingen daarentegen wordt aan diezelfde strijd soms nauwelijks aandacht besteed. Een typisch voorbeeld van de Nederlandse berichtgeving uit die dagen vindt men in een hoofdartikel, gewijd aan de slag in de Javazee, dat in maart 1945 in een – overigens vrij onbekend – illegaal blad verscheen. In dit blad, dat *De Marskramer* heette, en dat in Rotterdam en omgeving verspreid werd, kon men op 31 maart 1945 het volgende lezen.

,,De slag in de Javazee is een punt van vitaal en beslissend belang voor de Geallieerde oorlogvoering in den Pacific. En wel vitaal en beslissend voor de Geallieerde OVERWINNING.

Dit eischt wel enige nadere toelichting, want het gaat hier om een voor de Geallieerden verloren zeeslag. Een verloren zeeslag in tactisch en in beperkt strategisch opzicht, doch het feit alleen al, dat de slag kon worden geleverd, is voor de Geallieerde oorlogvoering in den Pacific als geheel van de grootste betekenis geweest.

Wat toch was het geval? Blijkens hun eigen officiële publikaties hebben de Japanners na de verovering van Malakka en Singapore verwacht, dat de tegenstand in het geheele gebied tusschen Singapore en Australië zou ineenstorten en dat hun zee- en luchtstrijdkrachten niet eerder slag zouden behoeven te leveren dan in het zicht van de kusten van het Australische vasteland. De Japansche zee- en luchtstrijdkrachten nu waren zoodanig geëchelonneerd, dat het laatste echelon bestemd was voor de verovering van het geheele gebied, dat Zuidelijk en Oostelijk van de Philippijnen en Singapore is gelegen, dus voor de verovering van Nederlandsch-Indië en Australië beide. Dit laatste Japansche echelon was wel het uiterste aan maritieme kracht, welke de Japanners op dat oogenblik in het Zuiden konden inspannen zonder de beveiliging van Japan zelf te verwaarloozen. Het was hoofdzakelijk samengesteld uit ongeveer de helft van de beschikbare zware kruisers met een omraming van groote torpedobootjagers, strategisch gedekt door 30 tot 40% der slagschepen en vliegdekschepen.

Langs twee wegen zouden de Japanners na den val van Singapore hun aanval op Australië richten: de eerste stoot via Halmaheira en Ambon naar West-Australië en de tweede stoot onmiddellijk daarna via de Salomonseilanden naar het volkrijke Oost-Australië. Wie de kaart van den Zuid-Westelijken Pacific beziet, zal onmiddellijk bemerken, dat het Nederlandsch-Indische eskader onzer marine, versterkt door andere Geallieerde zeestrijdkrachten in de Javazee, ten opzichte van den Japanschen stoot via Ambon naar West-Australië een FLANKopstelling innam, een flankopstelling, welke in die mate storend heeft ingewerkt op de Japansche aanvalsplannen tegen Australië, dat zij in dat stadium van den Pacific-oorlog moesten worden opgegeven, althans uitliepen op een manoeuvre die veel geleek op die van iemand, die verder wilde springen dan zijn polsstok lang was. Die storende werking op de Japansche plannen moet vooral daaraan worden toegeschreven, dat de aanvalskracht van ons eskader belangrijk grooter is gebleken dan men te Tokio had verwacht.

Er is nu eenmaal een grens aan de krachten, ook van de sterkste aanvalsformatie en de actie van het Geallieerde eskader, onder Schout-bij-Nacht Doorman, heeft tot een dusdanig gebruik van krachten bij de Japanners geleid, dat dit verbruik met het oog op een direct doorgezette actie tegen Australië, de grens van het toelaatbare overschreed. De Japanners waren dus niet in staat hun actie op dat moment doeltreffend en volledig uit te voeren, en de Geallieerden hadden TIJD gewonnen, den tijd, die noodig was, eerstens om Australië te redden en vervolgens om een grootsch opgezette tegenactie te beginnen met Australië als basis. De Japansche vloedgolf was in eerste instantie gebroken en de tweede Japansche stoot via de Salomonseilanden naar Australië voor maanden vertraagd. Toen deze tweede stoot dan ook tot uitvoering kwam, hadden de Geallieerden den tijd gehad om zich te herstellen en zooveel zee- en luchtstrijdkrachten in het Noorden van de Koraalzee te concentreren, dat aan de Japanners een definitief HALT kon worden toegeroepen. Australië was gered en de voorwaarden voor de tegenactie geschapen.

Hieruit blijkt, hoe belangrijk de rol is geweest, welke de Nederlandsche zeestrijdkrachten, ondanks hun geringe sterkte, ten bate van een geallieerde EINDOVERWINNING in de Pacific hebben gespeeld. Immers, deze eindoverwinning   87 had als eerste en onontkoombare voorwaarde het behoud van Australië, de groote militaire voorbereidings- en uitgangsbasis voor het Geallieerde offensief tegen JAPAN. Zonder de vervulling van die voorwaarde zou dat offensief practisch onuitvoerbaar zijn geworden, althans gelijk staan met zelfmoord. Van het grootste gewicht voor ons Nederlanders is ook dat de onstuimige aanval in de Javazee, die tot overspanning van krachten bij de Japanners leidde, werd uitgevoerd op NEDERLANDSCH bevel en ONDER DE HOOGSTE NEDERLAND-SCHE VERANTWOORDELIJKHEID. Na den val van Singapore toch, hadden de Amerikanen en Britten Nederlandsch-Indië eigenlijk reeds opgegeven en legde de Amerikaansche admiraal Hart zijn functie als Geallieerd opperbevel-hebber in den Zuidelijken Pacific neer en werd als zoodanig opgevolgd door den Nederlandschen vice-admiraal HELFRICH, terwijl het eskader in de Javazee werd gecommandeerd door den Nederlandschen schout-bij-nacht DOORMAN. Het bevel van den laatsten: „Ik val aan, volgt mij," lag geheel in de lijn van de opvatting, die de laatste tien of twaalf jaren aan de Hooge Marine Krijgsschool werd geleerd, namelijk aanvallen, waar daartoe de mogelijkheid bestond, zoonodig tegen een overmacht, en het personeel der Marine heeft bewezen uit hetzelfde hout gesneden te zijn als hun admiraal en als de ZEELIEDEN UIT DEN GROO-TEN TIJD DER REPUBLIEK. Dit alles neemt niet weg, dat de slag in de Javazee, zooals we reeds eerder zeiden, tactisch een VERLOREN slag was en strategisch besliste over het voorlopige lot van Nederlandsch-Indië. Die slag had echter tactisch niet verloren behoeven te worden, indien nl. in Nederland niet jarenlang, Regeering en volksvertegenwoordiging een belangrijke uitbreiding van zee- en luchtstrijdkrachten, onder den druk eener heillooze propaganda hadden tegengehouden. Een gewonnen slag in de Javazee zou Indië voor ons, ook gedu-rende deze oorlogsjaren, hebben behouden en zou het geweldige leed, dat in Indië thans beiden, Nederlanders en Indonesiërs heeft getroffen, hebben voorkomen en ons hier in het Moederland in hooge mate de materieele lasten van den wederop-bouw hebben verlicht. Maar dit laatste is niet de schuld van de MANNEN DER KONINKLIJKE MARINE, zij hebben gedaan wat zij konden, zij hebben alles gegeven wat zij konden geven, namelijk hun leven, zij hebben gered wat er te redden viel: het NEDERLANDSCHE waardevolle aandeel in de Geallieerde oorlogvoering, en . . . de EER."

Het is niet moeilijk om, meer dan dertig jaar later, vanuit een veilige studeerka-mer, en met kennis van gegevens, die in maart 1945 onbekend waren, kritiek te leveren, op een – door de omstandigheden uiteraard anoniem – artikel dat onder de barre toestanden van de laatste oorlogswinter in een illegaal blad verscheen. Zo is nu wel duidelijk dat de slag in de Javazee de Japanse opmars in de Pacific niet wezenlijk vertraagd heeft. Materiële verliezen leden de Japanners nauwelijks, de overwinning op het geallieerde eskader moet hen eerder gesterkt hebben in de idee dat zij onoverwinnelijk waren. Tot stilstand werd de opmars eerst gebracht in de slag bij het eiland Midway begin juni 1942, en dat was een confrontatie uitsluitend tussen Amerikaanse en Japanse zee- en luchtstrijdkrachten. De gebeurtenissen die drie maanden tevoren in Nederlands-Indië plaatsvonden, hebben op het verloop van deze slag zeker geen invloed gehad.

Daarentegen kan men wel instemmen met de bittere opmerkingen van de schrijver over de bezuinigingen op de defensiebegrotingen van voor de oorlog. Het is een verwijt, dat niet alleen Nederland, maar alle met haar geallieerde staten treft. Het falen van Groot-Britannië in dit opzicht werd al tijdens de Tweede Wereldoorlog scherp geanalyseerd. In de sombere dagen van 1940 schreef de drieëntwintigjarige John F. Kennedy, de latere president van de Verenigde Staten, een boek, *Why England Slept* geheten, waarin hij het falen van de Britten onbarmhartig aantoont. Onvoldoende waakzaamheid ten opzichte van de agressieve plannen van Duitsland en Japan maakte het deze landen mogelijk hun verrassende militaire overwinningen te behalen.

Naast de opvattingen van de onbekende schrijver in het illegale blad bestaan er uiteraard andere, die de resultaten van de strijd in de Javazee minder positief zien. Zo is gesteld dat het beter geweest zou zijn, als het eskader zou zijn uitgeweken in plaats van slag te leveren. Deze schrijvers zien meer in het redden van schepen en van mensenlevens, dan in het redden van de eer, die door de schrijver van het artikel in het illegale blad zo belangrijk wordt geacht.

Wat is de werkelijke betekenis van de slag in de Javazee geweest? Welke mogelijkheden hebben de geallieerden gehad om met deze slag het Japanse tij te keren? Was het onverstandig deze laatste poging te wagen?

Een nacht te vroeg

Tijdens een lezing over het nut van de zogeheten 'war games' voor studenten van het Naval War College wees de Amerikaanse admiraal Chester Nimitz er in 1950 op dat vele situaties, die zich in de Tweede Wereldoorlog voordeden, voordien eigenlijk al aan de geallieerden bekend waren. In de war games, die voor de oorlog uitgevoerd waren, had men vrijwel alle mogelijkheden die zich in de Pacific konden voordoen, nagegaan en de consequenties ervan onderzocht. Uit het verhaal van Nimitz wordt overigens niet duidelijk, of men zich ook met de gevolgen van een plotselinge overval, zoals die bij Pearl Harbor plaats zou vinden, had beziggehouden.

Ook de Japanse Marine heeft zich door middel van deze war games grondig op de strijd in de Pacific voorbereid. Met name was al tijdens deze war games gebleken van hoe groot belang een goed functionerende torpedo zou kunnen zijn voor het verloop van de strijd. Ongeveer een maand vóór Pearl Harbor slaagde de Japanse Marine erin de torpedo's te perfectioneren, ook voor het gebruik in ondiepe kustwateren. Deze torpedo's, door zuurstof gedreven, waren ook op grote afstand nog zeer effectief. De Amerikaanse torpedo's daarentegen waren in de aanvang van de Pacific-oorlog niet bepaald van goede kwaliteit. In feite werd met deze technisch zeer geavanceerde Japanse torpedo's de slag in de Javazee definitief beslist: zowel de 'Kortenaer', de 'De Ruyter', als de 'Java' werden er het slachtoffer van.

Het is niet bekend in hoeverre de Japanners ook de situatie die zich eind februari in de Javazee voordeed, in een war game hebben uitgetest. Zeker is dat het ook voor de geallieerden van het grootste belang zou zijn geweest, als men tevoren op een dergelijke situatie verdacht geweest was. Dat had de keus van een bepaalde strategie in ieder geval wezenlijk kunnen beïnvloeden. In zijn taakopvatting als ABDAfloat is Helfrich er steeds van uitgegaan de vijand te moeten attaqueren, bij voorkeur nog tijdens zijn opdringen in de Indonesische archipel en zover mogelijk van zijn eigenlijke doel: Java. Met deze strategie, waarbij hij bij voorkeur de hit and run tactiek toepaste, zijn niet onbelangrijke successen geboekt.

In de spannende dagen, waarin de eindfase naderkwam: de rechtstreekse invasie van Java, stond Helfrich voor een moeilijke opgave. De vijand moest zowel opgezocht als verslagen worden, en dat met een povere luchtverkenning en met een slechte communicatie tussen ABDAfloat en ABDAair.

Helfrich besloot om sweeps langs de noordkust van Java te maken en wel bij nacht, vanwege het Japanse overwicht in de lucht. Deze vermoeiende nachtelijke tochten hebben veel van het uithoudingsvermogen van de manschappen geëist. Bovendien bevorderden deze sweeps snelle slijtage van het materiaal, materiaal dat niet meer hersteld of vervangen kon worden.

Toen het in de middag van de 28ste februari duidelijk werd dat de Japanse invasievloot het eiland Java naderde, was het ogenblik gekomen om een laatste desperate aanval op deze scheepsconcentratie in te zetten. Alleen een vernietiging van de transportvloot kon een landing nog voorkomen. Deze opzet is niet gelukt, hoewel Doorman in het begin van de slag zeker niet ongelukkig opereerde. Uiteindelijk wist het Japans eskader de geallieerden terug te wijzen en zelfs een groot deel van de formatie te vernietigen.

Nu is uitermate interessant dat het de volgende nacht wederom tot een felle confrontatie kwam. De geallieerde 'Perth' en 'Houston' liepen recht op de Japanse invasievloot op het moment waarop deze met de landingsoperatie bezig was. Hier was geen vermoeiende zoekactie aan voorafgegaan, de Japanners werden als het ware op heterdaad betrapt. Het verrassende gevolg was dat zij zwaardere verliezen leden dan ooit in de slag in de Javazee het geval geweest was. Daarbij is het van minder belang of de treffers veroorzaakt werden door eigen, of door geallieerd vuur.

Men kan zich voorstellen dat een plotseling opdoemen van Doormans nog volledige eskader in deze nacht bij het invasiestrand aan de Bantambaai voor de Japanners tot een catastrofe had kunnen leiden. Er zou een wilde mêlee van strijdende schepen zijn ontstaan, waarin – mogelijk – tal van Japanse transportschepen verloren zouden zijn gegaan. Het belangrijkste wapen van de Japanners, de torpedo, zou tot grote verliezen, maar dan aan beide zijden, hebben geleid. Daar komt dan nog bij dat de Japanse Marine niet op het bestaan van een nog slagvaardig geallieerd eskader zou hebben gerekend. Men was er absoluut van overtuigd dat dit eskader door de luchtaanvallen op de vierde februari grotendeels was vernietigd. Wanneer het dus Doorman en Helfrich gelukt zou zijn het geallieerd eskader verborgen te houden, tot op het ogenblik waarop de Japanse strijdkrachten dachten te gaan landen, zou dit een enorm effect hebben gesorteerd. De capaciteiten hiervoor bezat Helfrich zeker, hij had, wij hebben het reeds vermeld, een studie gemaakt van die ankerplaatsen in de archipel, waarvan hij kon aannemen, dat de Japanse Marine ze nog niet kende. Een dergelijk type oorlogvoering lag de Nederlander dus zeker, en zijn 'tegenspeler' in de ABDAfloat, admiraal Hart, allerminst. Het is dan ook bijzonder jammer voor de geallieerden dat Helfrich niet eerder de kans kreeg zijn stempel te drukken op de campagnes in de archipel. De Nederlander heeft nauwelijks veertien dagen de gelegenheid gehad het opperbevel te voeren en hij kreeg dit bevel op een moment waarop de Combined Chiefs of Staff het verstandiger vonden een Nederlander, in plaats van een Brit of een Amerikaan, de verantwoording voor de welhaast onvermijdelijke nederlaag toe te spelen. In de korte spanne tijds die hem restte, kon Helfrich weinig meer beginnen.

In de loop van de vele jaren die er na de Tweede Wereldoorlog verstreken zijn, zijn heel wat publikaties verschenen, waarin allerlei andere mogelijkheden worden genoemd, welke Doorman en Helfrich voor de dreigende nederlaag hadden kunnen bewaren. Het meest opvallend is de suggestie dat het verstandiger was geweest als er geen slag geleverd zou zijn. Doorman had, zo suggereert de schrijver, de vloot kunnen gebruiken om de Nederlanders uit Indonesië te evacueren. Het voorstel lijkt absurd. Er bestond geen enkele mogelijkheid om de tienduizenden Nederlanders die in de archipel verbleven, op korte termijn te evacueren. Bovendien bevond zich, zoals bekend, eind februari en begin maart, in de Indische Oceaan ten zuiden van Java een groot Japans eskader, bestaande uit slagschepen, vliegdekschepen, zware kruisers en torpedobootjagers. De kans om hier onopgemerkt doorheen te breken was uiterst klein. Indonesië was op dat ogenblik van de geallieerde wereld afgegrendeld. Een confrontatie van een met burgers volgeladen geallieerde oorlogs- en transportvloot met het Japans eskader zou tot een massale ramp hebben geleid. Er zat, eind februari 1942, voor de Nederlanders weinig anders op dan het uit te vechten. Ook Helfrich heeft dit heel duidelijk ingezien. Dat dit een strijd zou worden waarin de geallieerden de grootste kans liepen het onderspit te delven, dat was hem (en ook Doorman) volslagen duidelijk. Het feit dat de slag in de Javazee zo rampzalig zou verlopen, was niet te voorzien, sterker nog, het was voor alle betrokkenen onbegrijpelijk. Gelijk men weet, waren de opvarenden van Doormans eskader er absoluut van overtuigd dat ook de Japanse formatie zware verliezen had geleden.

Indien kritiek geleverd moet worden, dan moet deze allereerst gericht worden op de hoogst gebrekkige coördinatie tussen zee- en luchtmacht. Naast het ontbreken van voldoende materiaal is dit een van de hoofdoorzaken van de nederlaag. Het ontbreken van luchtverkenning is voor Doormans eskader noodlottig geworden. En men kan zich afvragen of dit nodig geweest was. Zelfs met het kleine aantal jagers dat nog over was, zou het mogelijk geweest zijn de Japanse verkenningsvliegtuigen boven Doormans eskader te verdrijven. Hiermee zouden de 'ogen' van de Japanse tegenspeler zijn weggenomen. Nu tastte alleen Doorman in den blinde, een onoverkomelijke handicap. Ook van Japanse zijde is men er zich van bewust dat dit de kardinale factor is geweest die de weegschaal naar hun zijde deed omslaan. ,,A major factor contributing to that defeat was the lack of air cover which the Allied ships required so desperately'' (Sakai).

Nu kan men zich afvragen of de geallieerde kruisers dan zelf geen verkenningsvliegtuigen aan boord hadden. Inderdaad hadden zowel de 'De Ruyter', 'Java', 'Exeter' als 'Perth' de mogelijkheid twee toestellen aan boord te nemen. Al deze kruisers, behalve de 'Java', hadden bovendien een katapultinstallatie om de machines snel te kunnen lanceren. De 'Houston' had zelfs twee katapultinstallaties en ruimte aan boord voor drie toestellen.

Maar de verkenningsmachine aan boord van de 'Exeter' was door Japanse near misses beschadigd, terwijl zowel de 'Java', 'De Ruyter', 'Perth' als 'Houston' hun toestellen niet aan boord hadden. Daar worden verschillende redenen voor aangevoerd. Zo zou men bezorgd zijn geweest over het gevaar van brand, vanwege de snel ontvlambare vliegtuigbenzine. En verder dacht men de machines niet nodig te hebben: men voer immers uit voor een nachtelijke actie. Hoe dit ook zij, het is duidelijk dat hier een ernstige beoordelingsfout is gemaakt.

Naast het luchtoverwicht van de Japanners waren er andere factoren, die mede bij deze nederlaag een rol hebben gespeeld:
– Er was geen enkele gelegenheid geweest om in gezamenlijke manoeuvres de Combined Striking Force tot een hechte gevechtseenheid aaneen te smeden.
– Er waren grote verschillen in de door de diverse geallieerden toegepaste technieken, zoals in de vuurleiding en het communicatiesysteem. Dat leverde enorme problemen op.
– De bemanningen van de geallieerde schepen waren oververmoeid.
– De superioriteit van het Japanse torpedowapen was voor de geallieerden een uiterst onaangename verrassing, die in haar uitwerking nauwelijks voor die van de Zerojager onderdeed.
Alles overziende is het evident dat de handvol zeestrijdkrachten van de geallieerden, welke in de Javazee opereerde, eind februari 1942 in een uiterst hachelijke positie terechtgekomen was. In deze situatie moest voor een bepaalde strategie worden gekozen. Helfrich heeft bewust gekozen voor een laatste wanhopige poging een invasie op Java te verijdelen. Zijn toeleg is volledig mislukt. Misschien zijn er ook nog andere mogelijkheden geweest, maar men kan er slechts naar gissen of de nederlaag hiermee had kunnen worden afgewend. Gezien de Japanse superioriteit, zowel wat de kwantiteit als de kwaliteit van het materiaal betreft, en gezien het feit dat de Verenigde Staten niet van plan waren om nog verdere steun te verlenen, is het onwaarschijnlijk dat een verovering van de Nederlandse kolonie nog had kunnen worden voorkomen.

De slag in de Javazee heeft een groot aantal geallieerde zeelieden het leven gekost. Aan boord van de 'De Ruyter', 'Java', 'Kortenaer', 'Exeter', 'Electra' en 'Jupiter' vielen in totaal circa 1015 doden – op een bemanning van 2093 mensen. Aan Japanse kant wordt een aantal van 10 doden en 30 gewonden opgegeven, op een totale bemanning van 1350 personen. Dat is dus een aanmerkelijk verschil. Daarna vielen in de strijd in de Bantambaai aan boord van de 'Houston' en 'Perth' nog eens 1071 doden. De Japanse verliezen worden als volgt opgegeven: 45 doden en 33 gewonden. Ook hier dus een aanzienlijk verschil!

Voor de duizenden Nederlanders in de Indonesische archipel, zowel militairen als burgers, betekende de nederlaag in de Javazee, men weet het, gevangenschap, honger, ziekte, en voor velen tenslotte de dood. Het zou meer dan drie jaren van verbitterde strijd vergen, voor Japan als militaire macht op de knieën kon worden gedwongen. De overwinning kwam voor velen te laat.
Men kan slechts bewondering en ontzag hebben voor de grote moed, waarmee, aan beide zijden, zowel burgers als militairen, de ellende hebben ondergaan die deze Pacific-oorlog teweeg heeft gebracht.

Geraadpleegde literatuur

De strijd in de Javazee is – zoals zoveel andere gebeurtenissen uit de Tweede Wereldoorlog – in later jaren nog vele malen gestreden, maar dan op papier. Ook deze slag is niet aan de wassende stroom van publikaties over deze oorlog ontkomen.

Bij het samenstellen van de onderhavige tekst is bewust getracht vooral aandacht te schenken aan de literatuur uit de jaren veertig en vijftig. Men kan hier tegenin brengen dat deze benadering enkele bezwaren met zich mee brengt. Zo kan men stellen dat het onmogelijk moet zijn geweest om in 1942-1945 en de daarop volgende jaren de oorlogsgeschiedenis volkomen correct te beschrijven: van beide zijden was de neiging om volledige informatie te geven niet bijster groot. Toch konden waarnemers uit die jaren, personen die nog zo dicht bij de gebeurtenissen stonden, ze wellicht zelf hadden meegemaakt, een belangrijke bijdrage leveren, althans in bepaalde opzichten. De waarnemers uit de oorlogsjaren en uit de onmiddellijk daaropvolgende periode waren namelijk in de gelegenheid de stemming en de geestesgesteldheid op dat moment te peilen, zowel van de mannen die deze oorlog streden, als van de burgerbevolking. Zij konden een betere indruk geven van wat deze mensen er op dat moment werkelijk van dachten, waar zij over spraken. Ook interviews, welke vele jaren later worden afgenomen – een methode die heden ten dage veelvuldig wordt toegepast – kunnen die sfeer van het directe contact met het oorlogsgebeuren niet meer overbrengen, daarvoor is de afstand in de tijd te groot geworden: de intussen vele jaren ouder geworden getuige spreekt vanuit een geheel andere gemoedstoestand. Uiteraard is voor de in de tekst verwerkte technische bijzonderheden van de meest recente, definitieve gegevens uitgegaan.

Bezemer, K.W.L., *Zij vochten op de zeven zeeën*. De Haan, Zeist 1956.

Bezemer, K.W.L., *Verdreven doch niet verslagen*. De Haan, Hilversum 1967.

Brereton, L.H., *The Brereton Diaries, 3 Oct. 1941 – 8 May 1945*. William Morrow, New York 1946.

Bijkerk, J.C., *Vaarwel tot betere tijden*. Wever, Franeker 1974.

Caidin, M., *Zero Fighter*. Ballantine Books, New York 1970.

94

Churchill, W.S., *The Second World War*. Vol IV, *The Hinge of Fate*. Houghton Mifflin, Boston 1950-51.

De slag in de Java Zee, *De Marskramer*, Jaargang 1, no 49, 1945.

De slag in de Java Zee, *Big Ben* no 1, H.M. Stat. Off., Londen 1945.

Despatch by the Supreme Commander of the ABDA-area to the Combined Chiefs of Staff on Operations in S.W. Pacific (15 Jan. 1942-25 Febr. 1942). H.M. Stat. Off., Londen 1948.

De strijd om Bali 19-25 Februari 1942, *Marineblad*, Augustus 1948.

Edmonds, W.D., *They fought with what they had*. Little, Brown, Boston 1951.

Fuchida, M. and M., Okumiya, *Midway, the Battle that doomed Japan*. Hutchinson, Londen 1955.

Glines, C.V., *Doolittle's Tokyo Raiders*. Van Nostrand, New York 1964.

Goldingham, C.S., *The Japanese Navy in the Late War*. Journal Royal United. Service Institution, februari 1953.

Gordon, O.L., *Fight it out*. William Kimber, Londen 1957.

Grew, J.C., *Ten years in Japan*. Simon and Schuster, New York 1944.

Hara, T., Saito, F. and R. Pineau, *Japanese Destroyer Captain*. Ballantine Books, New York 1978.

Hashimoto, M., *Sunk*. Cassell and Co., Londen 1954.

Helfrich, C.E.L., *Memoires* (2 delen). Elsevier, Amsterdam 1950.

Heurn, J.N.C. van, *Uur der beproeving*. Elsevier, Amsterdam 1945.

Hitler's Secret Conversations 1941-1944. Farrar, Straus and Young, New York 1953.

Jonkman, J.A., *Het oude Nederlands-Indië*. Van Gorcum, Assen 1971.

Karig, W. and W. Kelly, *Battle Report*. Vol I, *Pearl Harbor to Coral Sea*. Rinehart, New York 1944.

Kennedy, J.F., *Why England slept*. Hutchinson, Londen 1940.

Kirby, S.W., *The War against Japan*. 4 vols. (U.K. Military Series, *History of the Second World War*). H.M. Stat. Off., Londen 1957-1965.

Kroese, A., *Neerlands zeemacht in oorlog*. Netherland Publ. Comp., Londen 1944.

Kroon. L.D., de, en H. Thomas, *Van Linieschip tot Vliegkampschip*. Elsevier, Amsterdam 1965.

Küpfer, C.D., *Onze vliegers in Indië*. Boom – Ruygrok, Haarlem 1946.

Lawson, T.W., *Thirty seconds over Tokyo*. Random House, New York 1943.

Leahy, W.D., *I was there*. Whittlesey, New York 1950.

Life, Jaargangen 1941, 1942.

Mahan, A.Th., *The Influence of Seapower upon History*. Sagamore Press, New York 1957.

Mook, H.J. van., *The Netherlands Indies and Japan*. Allen and Unwin, Londen 1945.

Morison, S.E., *The Rising Sun in the Pacific*. Little, Brown, Boston 1948.

Morris, J., *Traveller from Tokyo*. Penguin Books, Harmondsworth 1946.

Münching, L.L. von, *Schepen van de Koninklijke Marine in de tweede wereldoorlog*. De Alk, Alkmaar 1978.

Okumiya, M. and J. Horikoshi, *Zero, the story of the Japanese Navy Air Force 1937 – 1945*. Transworld Publishers, Londen 1957.

Oosten, F.C. van, *The Battle of the Java Sea*. Ian Allan Ltd., Londen 1976.

Potter, E.B., The Navy's War against Japan. *U.S. Naval Institute Proceedings*, Aug. 1950. Annapolis 1950.

Potter E.B. and Nimitz, W. Chester, eds., *The Great Sea War*. Prentice Hall, Englewood Cliffs, N.J. 1960.

Pratt, F., *The Navy's War*. Harper and Brothers New York 1943.

Quispel, H.V., *Nederlandsch-Indië in den tweeden wereldoorlog*. Netherland Publ. Comp., Londen 1945.

Sakai, S., Caidin, M. and F. Saito, *Samurai*. Dutton, New York 1957.

Sherwood, R.E., *Roosevelt and Hopkins*. Harper, New York 1948.

Smirnoff, I.W., *De toekomst heeft vleugels*. Elsevier, Amsterdam 1957.

The Battle of the Java Sea. Suppl. *London Gazette*, 6 July 1948.

The Times, 3 December 1945.

Thomas, D.A., *Battle of the Java Sea*. André Deutsch, Londen 1968.

Vliegwereld, Haarlem, Jaargangen 1941, 1942, 1943, 1944, 1945.

Weller, G.A., *Singapore is silent*. Harcourt, New York 1943.

Wilson, A., *War Gaming*. Penguin Books, Harmondsworth 1970.

Wolf, A.L. de, *Vlootverhoudingen in het Verre Oosten*. Born, Assen 1941.

VERANTWOORDING VAN DE ILLUSTRATIES

De uitgever dankt de hierna genoemde personen en instellingen voor het ter beschikking stellen van fotomateriaal:
J. Sleding, Amsterdam; S. Prins Boekhandel, Den Helder; het Bureau Maritieme Historie van de Marinestaf, Den Haag; het Historisch MLD-Archief; Archief Spiegel Historiael, Haarlem. De kaart op blz. 54 is afkomstig uit *The Battle of the Java Sea* van F.C. van Oosten.
Tevens is gebruik gemaakt van de volgende boeken: Pierre Clostermann, *Flames in the Sky; Kriegsflugzeuge, Stand Herbst 1941;* A. Kroese, *Neerland's Zeemacht in Oorlog;* C.C. Küpfer, *Onze vliegers in Indië;* H.V. Quispel, *Nederlandsch-Indië in den Tweeden Wereldoorlog.*